Pratique de la voie tibétaine

Du même auteur

AUX MÊMES ÉDITIONS

Le Mythe de la liberté
et la voie de la méditation
coll. «Points Sagesses», 1978

Méditation et action
coll. «Points Sagesses», 1981

Shambhala, *1990*

Né au Tibet
coll. «Points Sagesses», 1991

CHEZ D'AUTRES ÉDITEURS

Né au Tibet
Buchet-Chastel, 1968

L'Aube du tantra
Albin Michel, 1982

A PARAÎTRE

Voyage sans but, *1991*

Le Livre des morts tibétains, *1992*

Chögyam Trungpa

Pratique de la voie tibétaine

Au-delà du matérialisme spirituel

Traduit de l'américain
par Vincent Bardet

Nouvelle édition revue

Éditions du Seuil

à Chökyi-lodrö le Marpa
père de la lignée Kagyü

En couverture : Le Diamant - Foudre,
qui se dit *Vajra* en sanscrit, et *Dorjê* en tibétain.

ISBN 2-02-004395-5
(édition originale : ISBN 0-8773050-4)

La version originale de cet ouvrage a été publiée en 1973 par Shambhala Publications, à Berkeley, sous le titre *Cutting through Spiritual Materialism.*

Chögyam Trungpa Rinpoche a fondé plusieurs communautés contemplatives bouddhistes en Amérique du Nord, dont les plus importantes sont Karma Dzong à Boulder, dans le Colorado, et la Queue du Tigre à Barnet, dans le Vermont. Il a aussi créé une communauté thérapeutique expérimentale, et mis sur pied l'Institut Naropa, établissement académique dans lequel les étudiants peuvent faire l'expérience de l'interaction des disciplines intellectuelles bouddhiques et occidentales. Comme il dirige ces centres, et qu'il y est le professeur principal, de nombreux étudiants trouvent en lui à la fois un ami et un maître de méditation.

En tant qu'onzième incarnation du Trungpa Tülku, Chögyam Trungpa fut élevé, dès son enfance, en vue d'occuper la charge d'abbé suprême des monastères de Surmang, dans le Tibet occidental. A l'issue d'une longue période d'entraînement difficile, il fut initié et couronné héritier des lignées de Milarepa et Padmasambhava. Puis il mena à leur terme ses études méditatives et intellectuelles dans les traditions Kagyü et Nyingma.

Trungpa fut forcé de quitter son pays lorsque les communistes chinois envahirent le Tibet, en 1959. Il passa trois ans en Inde, puis se rendit en Angleterre, à Oxford, où il mena des études de psychologie et de religion comparée. Après un séjour de quatre ans à Oxford, il fonda le premier centre bouddhiste tibétain d'étude et de méditation en Occident, Samyê-Ling, en Écosse. En 1970, il visita les États-Unis et, en réponse à l'extraordinaire intérêt suscité par son enseignement, décida d'y résider.

Il a enseigné à l'université du Colorado, et parcourt les États-Unis et le Canada, participant à des séminaires et donnant des conférences. Il est l'auteur d'une autobiographie, *Né au Tibet* (Buchet-Chastel); d'un livre de poésie, *Mudra* (non traduit); de l'ouvrage *Méditation et Action* (coll. « Documents spirituels » Fayard); et d'un autre livre dans la présente collection qui a pour titre *le Mythe de la liberté et la voie de la méditation.*

Pour toute information sur les centres de Trungpa, écrire à : Vajradhatu, 1345 Spruce St., Boulder, Colo. 80302.

Introduction

La série de causeries qui va suivre fut prononcée à Boulder, dans le Colorado, en automne 1970 et au printemps 1971. A cette époque, nous étions en train de constituer Karma Dzong, notre centre de méditation à Boulder. Bien que la plupart de mes étudiants fussent sincères dans leur aspiration à cheminer sur le sentier spirituel, ils arrivaient pleins d'une bonne dose de confusion, d'incompréhension et d'attente. Aussi me parut-il nécessaire de leur présenter un survol du sentier et quelques avertissements concernant les embûches qui le jalonnent.

Il apparaît aujourd'hui que la publication de ces causeries peut se révéler de quelque utilité pour ceux qui s'intéressent aux disciplines spirituelles. Le cheminement correct sur le sentier spirituel est un processus fort subtil; ce n'est point quelque chose dans quoi il faille plonger naïvement. Un certain nombre de détours conduisent à une version distordue, égocentrique de la spiritualité; nous pouvons nous illusionner en pensant que nous nous développons spirituellement, alors qu'en fait nous usons de techniques spirituelles pour renforcer notre ego. Cette distorsion fondamentale mérite le nom de *matérialisme spirituel.*

Au long de ces causeries, on envisage d'abord les différentes façons dont les gens sont impliqués par le matérialisme spirituel, les nombreuses formes d'auto-illusion dans lesquelles les débutants sont susceptibles de tomber. Et, après avoir fait le tour des chemins de traverse qui bordent la voie, on procède à une rapide reconnaissance du tracé du véritable sentier spirituel.

Notre démarche est une démarche bouddhiste classique – pas dans un sens formel, mais en ce que nous allons au cœur de l'approche bouddhique de la spiritualité. Bien que la voie du Bouddha ne soit pas déiste, elle n'entre pas en contradiction avec les disciplines postulant l'existence d'un Dieu. Les différences entre les voies portent plutôt sur l'accent et la méthode. Les problèmes fondamentaux du matérialisme spirituel sont communs à toutes les disciplines spirituelles. Dans l'approche bouddhiste, on part de la confusion et de la souffrance qui sont notre lot, et l'on s'emploie à démêler l'écheveau des causes. Dans l'approche déiste, on part de la richesse divine, et l'on tâche d'élever sa conscience jusqu'à faire l'expérience de la présence de Dieu. Mais dès lors que notre confusion et nos points négatifs sont un obstacle à la relation avec Dieu, l'approche déiste doit s'en occuper aussi. L'orgueil spirituel, par exemple, est tout à fait un problème commun aux disciplines déistes et au bouddhisme.

Selon la tradition bouddhiste, l'avance sur le sentier spirituel consiste à pourfendre notre confusion et à recouvrer l'état d'éveil, condition originelle de notre esprit. Lorsque l'esprit, dans sa condition éveillée, est encombré par l'ego et la paranoïa attenante, il prend les caractéristiques d'un instinct sous-jacent. Aussi n'est-il pas tant question d'édifier l'état d'éveil que de réduire en cendres les confusions qui l'obscurcissent. Et c'est dans le processus même de destruction de ces confusions que l'on accède à l'illumination. S'il en était autrement, la condition éveillée de l'esprit serait un produit dépendant des causes et des effets, et donc soumise à dissolution. Tout ce qui a été créé doit, tôt ou tard, périr. Si l'illumination était une création, l'ego pourrait toujours, se réaffirmant, causer un retour à l'état de confusion. L'illumination est permanente parce que nous ne l'avons pas produite, nous l'avons seulement découverte. Dans la tradition bouddhiste, on a souvent recours à l'image du soleil apparaissant derrière les nuages pour expliquer la découverte de l'illumination. Dans la pratique de la méditation, nous chassons la confusion de l'ego pour entrevoir la lumière de l'éveil. Si nous savons nous débarrasser de l'ignorance, de l'encombrement intérieur, de la paranoïa, nous nous ouvrons à une vision fabuleuse de la vie. On découvre une nouvelle façon d'être.

Le cœur de la confusion consiste en ce que chaque homme a une perception de soi qui lui paraît être solide et continue. Lorsque surviennent une pensée, une émotion ou un événement, quelqu'un est conscient de ce qui se passe. *Vous* avez conscience de lire ces mots. Cette perception de soi est en fait un phénomène transitoire et discontinu que, dans notre confusion, nous prenons pour un phénomène solide et continu. Et comme nous prenons notre vue confuse pour la réalité, nous nous efforçons de maintenir et de conforter ce soi solide. Nous tâchons de le nourrir de plaisirs et de le protéger de la douleur. L'expérience menace sans cesse de nous révéler notre caractère transitoire, aussi tentons-nous continuellement de dissimuler toute possibilité de découvrir notre condition réelle. « Mais, demandera-t-on, si notre condition est un état éveillé, pourquoi sommes-nous tellement occupés à essayer d'éviter d'en prendre conscience? » Nous sommes tellement absorbés par notre confuse vision du monde que nous la prenons pour réelle — c'est pour nous le seul monde possible. En cet effort pour maintenir la perception d'un soi solide et continu réside précisément l'action de l'ego.

Cependant l'ego ne réussit que partiellement à écarter toute douleur. L'insatisfaction qui va de pair avec les tentatives de l'ego nous incite à examiner ce que nous faisons. Et, comme il y a toujours des failles dans notre conscience de soi, le regard est possible.

Dans le bouddhisme tibétain, on a recours à une intéressante métaphore pour décrire le fonctionnement de l'ego, celle des « Trois Seigneurs du Matérialisme » : le « Seigneur de la Forme », le « Seigneur de la Parole », et le « Seigneur de l'Esprit ». Nous allons brièvement les détailler, en précisant que, dans les lignes qui vont suivre, les mots « matérialisme » et « névrotique » se réfèrent à l'action de l'ego.

Le Seigneur de la Forme concerne la quête névrotique de confort, de sécurité et de plaisir. Notre société technologique hautement organisée est le reflet d'une préoccupation tout entière tournée vers la manipulation de l'environnement physique en vue de se protéger des atteintes de la vie sous son aspect cru, brut et imprévisible. Ascenseurs presse-bouton, nourriture conditionnée, chauffage central, chasses d'eau, enterrements privés, programmes de retraites, production de masse, satellites météorologiques, bulldozers, lumière au néon, journée continue, télévision – tout cela représente des efforts en vue de créer un monde contrôlable et sûr, prévisible et agréable.

Le Seigneur de la Forme ne se réfère pas aux situations vitales physiquement riches et sûres que nous créons *en elles-mêmes*. Il s'agit bien plutôt du souci névrotique qui nous incite à les créer, à vouloir contrôler la nature. Il est question de la prétention qu'a l'ego de se tenir à l'abri et de se donner du plaisir, en évitant autant que possible toute irritation. Ainsi nous accrochons-nous à nos plaisirs et à nos possessions. Craignant ou forçant le changement, nous essayons de nous créer un nid ou un terrain de jeu.

Le Seigneur de la Parole concerne l'emploi de l'intellect dans la relation à notre monde. Nous adoptons des jeux de catégories qui nous servent de manettes pour contrôler les phénomènes. Les idéologies, systèmes d'idées qui rationalisent, justifient et sanctifient nos vies, sont les produits les plus pleinement développés de cette tendance. Nationalisme, communisme, existentialisme, christianisme, bouddhisme — tous les « isme » nous munissent d'identités, de règles d'action et d'interprétations sur le pourquoi et le comment des choses telles qu'elles surviennent.

De nouveau, l'usage de l'intellect n'est pas en soi le Seigneur de la Parole. Le Seigneur de la Parole se réfère à cette inclination de l'ego à interpréter tout ce qui le menace ou l'irrite de façon à neutraliser la menace ou à la convertir en quelque chose de « positif » de son point de vue. Le Seigneur de la Parole concerne l'usage des concepts comme filtres qui font écran à une perception directe de ce qui est. Les concepts sont pris trop au sérieux, nous nous en servons comme outils pour solidifier notre monde et nous-mêmes. S'il existe un monde de choses nommables, parmi ces choses nommables existe un Je. Nous ne voulons laisser aucune place pour le doute, l'incertitude ou la confusion menaçants.

Le Seigneur de l'Esprit concerne l'effort de la conscience en vue de rester consciente d'elle-même. Il règne lorsque nous nous servons de disciplines psychologiques et spirituelles en vue de maintenir ou de retenir notre conscience de soi. Les drogues, le yoga, la prière, la méditation, la transe, la psychanalyse peuvent être utilisés de cette manière.

L'ego est capable de tout annexer à ses propres fins, y compris la spiritualité. Par exemple, si l'on a appris une technique de méditation ou une pratique spirituelle particulièrement bénéfique, il commence par la considérer avec fascination, puis il l'examine. Mais, en tout état de cause, comme l'ego est d'apparence solide et qu'il ne peut pas véritablement absorber quoi que ce soit, il se borne à imiter. Aussi s'efforce-t-il d'examiner et d'imiter la pratique de la méditation et le mode de vie spirituel. Lorsque l'on connaît toutes les ficelles et les réponses du jeu spirituel, on essaye automatiquement d'imiter la spiritualité, dès lors qu'un engagement véritable exigerait l'élimination complète de l'ego et qu'à vrai dire, abandonner complètement l'ego est bien la dernière chose que l'on souhaite faire. Cependant, on ne peut faire l'expérience de ce que l'on essaye d'imiter; tout ce que l'on peut découvrir est une région, à l'intérieur des limites de l'ego, qui semble être la même chose. L'ego traduit tout en termes de son propre état de santé, de ses propres qualités inhérentes. Il se sent accompli, il est tout excité à l'idée d'avoir créé quelque chose de grand lorsqu'il a produit un tel modèle. Au moins il a créé quelque chose de tangible, un accomplissement, une confirmation de sa propre individualité.

Si nous réussissons à maintenir notre conscience de soi en usant de techniques spirituelles, un développement spirituel authentique est hautement improbable. Nos habitudes mentales deviennent si fortes qu'il est difficile de les pénétrer. Nous pouvons même aller jusqu'au point d'atteindre l'état totalement démoniaque d' « égoïté » complète.

Même si le Seigneur de l'Esprit est le plus puissant subvertisseur de la spiritualité, les deux autres Seigneurs peuvent aussi dévaster une pratique spirituelle. Le retour à la nature, l'isolement, la communauté avec des gens simples, tranquilles, épanouis [1] — tout cela peut être une façon de nous protéger de l'agression, une expression du Seigneur de la Forme. Ou peut-être la religion fournit-elle les éléments rationnels nous permettant de créer un nid rassurant, une demeure simple mais confortable, une campagne agréable, un travail stable et plaisant.

Le Seigneur de la Parole intervient également dans la pratique spirituelle. Il se peut qu'en suivant un chemin spirituel, nous substituions une nouvelle idéologie religieuse à nos croyances antérieures, mais que nous continuions à nous en servir de la vieille façon névrotique. Quelque sublimes que puissent être nos idées, nous les prenons trop au sérieux et nous en servons pour maintenir notre ego, nous sommes encore sous la coupe du Seigneur de la Parole.

1. *High* en américain, mot hippie signifiant aussi « défoncé, parti, éclaté, planant » *(NdT)*.

Si nous examinons nos actions, la plupart d'entre nous conviendront probablement qu'ils sont dominés par l'un des Trois Seigneurs, si ce n'est les trois. On dira : « Et alors? Voilà tout simplement une description de la condition humaine. Nous le savons bien, notre technologie ne peut nous prémunir contre la guerre, le crime, la maladie, la crise, le travail contraignant, la vieillesse et la mort; et, certes, nos idéologies ne nous protègent pas du doute, de l'incertitude, de la confusion et de la désorientation; quant à nos thérapies, elles ne peuvent rien contre la dissolution des états élevés de conscience qu'il nous arrive d'atteindre temporairement, ni contre la déception et l'angoisse qui suivent. Mais que pouvons-nous faire d'autre? Les trois Seigneurs paraissent trop puissants pour qu'il soit question de les renverser et nous ne voyons pas par quoi les remplacer. »

Troublé par ces questions, Bouddha examina le processus selon lequel règnent les Trois Seigneurs. Il se demanda pourquoi nos esprits les suivent et pourquoi il existe une autre voie. Il découvrit que les Trois Seigneurs nous séduisent à l'aide d'un mythe fondamental : la solidité de notre être. Mais, en dernier recours, le mythe est faux, c'est une farce énorme, une fraude gigantesque et là est la racine de tous nos maux. Pour faire cette découverte, il dut pourfendre les défenses très élaborées érigées par les Trois Seigneurs en vue d'empêcher leurs sujets de découvrir la tromperie fondamentale sur laquelle est assis leur pouvoir. Nous ne pouvons en aucune façon nous libérer de la domination des Trois Seigneurs si nous ne brisons, nous aussi, leurs puissantes défenses, ligne après ligne.

Les défenses des Trois Seigneurs sont créées à partir du matériau de notre esprit. Ils se servent de ce matériau de l'esprit de telle sorte que soit maintenu le mythe fondamental de la solidité. Si nous voulons voir comment fonctionne le processus en ce qui nous concerne, il nous faut examiner notre propre expérience. « Mais comment allons-nous mener l'examen? Quelle méthode ou quel outil allons-nous utiliser? » La méthode découverte par le Bouddha est la méditation. Il découvrit qu'il ne sert à rien de lutter pour trouver des réponses. Mais qu'au contraire l'examen ne devenait possible que lorsqu'il y avait des trêves dans la lutte. Il commença à réaliser qu'il y avait en lui une qualité saine, éveillée, qui ne se manifestait qu'en l'absence de lutte. Ainsi la pratique de la méditation implique-t-elle le « laisser-être ».

Il existe un certain nombre d'idées fausses concernant la méditation. Certaines personnes la considèrent comme un état d'esprit analogue à une transe. D'autres y pensent en termes d'entraînement, de gymnastique mentale. Mais la méditation n'a rien à voir avec cela, bien qu'elle rencontre effectivement des états d'esprit névrotiques. Il n'est pas particulièrement difficile, ni impossible, de trouver l'attitude juste face à un état d'esprit névrotique. Cet état est doté d'énergie, de vitesse et d'une certaine structure. La pratique de la méditation implique un « laisser-être, essayer-d'aller » avec la structure, l'énergie et la vitesse. De cette façon, on apprend à se comporter avec ces facteurs, on entretient avec eux une relation qui ne consiste pas à provoquer leur maturation dans le sens que l'on souhaiterait, mais à les connaître pour ce qu'ils sont et à entrer dans leur structure.

Une histoire touchant le Bouddha raconte qu'il donna un jour son enseignement à un célèbre joueur de cithare qui voulait étudier la méditation. Le musicien demanda : « Dois-je contrôler mon esprit, ou le laisser aller complètement? » Bouddha répondit : « Puisque tu es un bon musicien, dis-moi donc comment tu accordes ton instrument. » Le musicien dit : « Les cordes ni trop tendues, ni trop lâches. » — « Il en est de même de ta pratique de la méditation, dit le Bouddha, tu ne dois rien imposer de force à ton esprit, ni le laisser vagabonder. » C'est l'enseignement qui consiste à laisser l'esprit *être* ouvertement, à sentir le flux de l'énergie sans chercher à le dominer et sans cesser de le contrôler, à s'harmoniser avec la structure énergétique de l'esprit. C'est la pratique de la méditation.

Une telle pratique est généralement nécessaire parce que notre structure mentale, notre façon de conceptualiser la conduite de notre vie dans le monde, est ou bien trop manipulatrice, se surimposant au monde, ou bien fonctionne de manière complètement sauvage et incontrôlée. Aussi bien notre pratique de la méditation doit-elle commencer par la couche la plus superficielle de l'ego : les pensées discursives qui traversent continuellement notre esprit, notre bavardage mental. Les Seigneurs utilisent ces pensées discursives comme première ligne de défense, comme des pions, dans leurs efforts pour nous illusionner. Plus nous en engendrons, plus notre mental est occupé et plus nous sommes convaincus de notre propre existence. Aussi les Seigneurs essayent-ils constamment d'activer ces pensées; ils tentent de créer une succession ininterrompue de pensées, de sorte que rien ne soit perceptible au-delà. Dans la véritable méditation, on ne cherche ni à agiter les formations mentales, ni à les supprimer. On les laisse survenir spontanément et devenir une expression de notre santé fondamentale. Elles deviennent l'expression de la précision et de la clarté de l'état d'esprit éveillé.

Si l'on pénètre la stratégie consistant à créer des pensées qui se chevauchent continuellement, alors les Seigneurs agitent des émotions pour nous distraire. La qualité excitante, colorée, dramatique de ces émotions capte notre attention et nous absorbe comme le ferait un bon film. Dans la pratique de la méditation, on ne les encourage pas, et on ne les réprime pas non plus. En les voyant clairement, en les laissant être ce qu'elles sont, on ne les laisse pas plus longtemps nous distraire et nous divertir. Ainsi deviennent-elles l'énergie inépuisable qui accomplit l'action dépourvue d'ego.

En l'absence de pensées et d'émotions, les Seigneurs sortent une arme encore plus puissante : les concepts. Étiquetés, les phénomènes produisent l'illusion d'un monde fini de

« choses » solides. Un tel monde solide nous assure que nous aussi sommes quelque chose de solide, de continu. Le monde existe; donc moi qui le perçois, j'existe aussi. La méditation implique que l'on voie la transparence des concepts, de telle sorte que l'étiquetage ne soit plus un moyen de solidifier notre monde et notre image de soi. Le concept devient simplement l'outil de la discrimination. Les Seigneurs ont encore d'autres mécanismes de défense, mais ils sont trop complexes pour être abordés ici.

En examinant ses propres pensées, émotions, concepts, et les autres activités de l'esprit, Bouddha découvrit qu'il n'est pas nécessaire de lutter pour prouver notre existence, et que nous n'avons nul besoin de rester assujettis aux Trois Seigneurs du Matérialisme. Il n'y a pas à lutter pour être libre, l'absence de lutte est en elle-même liberté. Cet état sans ego est la condition de Bouddha. Processus de transformation du matériau de l'esprit — qui exprime au départ l'ambition de l'ego — en expression de notre santé et de notre éveil fondamentaux, tel peut être défini le véritable sentier spirituel.

Le matérialisme spirituel

Nous sommes venus ici étudier la spiritualité. Je crois à l'authenticité de cette recherche mais nous devons en questionner la nature. Le problème est que l'ego peut tout convertir à son propre usage, même la spiritualité. L'ego tente constamment d'acquérir et d'appliquer les enseignements spirituels à son propre bénéfice. Les enseignements sont abordés comme quelque chose d'extérieur — extérieur à « moi » —, une philosophie que l'on tâche d'imiter. Mais on ne souhaite pas réellement s'identifier avec les enseignements, devenir les enseignements. Alors, si notre maître parle de renoncer à l'ego, on essaye de mimer la renonciation. On fait les mouvements, les gestes appropriés, mais en fait on ne veut à aucun prix sacrifier le moindre élément de son mode de vie. On devient un acteur averti et, tandis que l'on demeure sourd et aveugle à la signification véritable des enseignements, on trouve quelque confort à faire semblant de suivre le sentier.

Dès que nous commençons à sentir une divergence ou un conflit entre nos actions et les enseignements, nous interprétons immédiatement la situation de façon que la contradiction soit neutralisée. L'interprète est l'ego dans son rôle de conseiller spirituel. La situation ressemble à un pays où l'État et l'Église sont séparés. Si la politique de l'État est étrangère aux enseignements de l'Église, la réaction automatique

1. *Sengé Dra-dog.*

du chef de l'État est d'aller voir le chef de l'Église, son conseiller spirituel, et de lui demander sa bénédiction. Le chef de l'Église met alors au point quelque justification et bénit la politique sous prétexte que le chef de l'État est le défenseur de la foi. Dans l'esprit d'un individu, ça marche tout à fait comme ça, l'ego étant à la fois roi et pape!

Il nous faut pourfendre cette rationalisation du sentier spirituel et de nos propres actions, et aller au-delà, si nous voulons réaliser la véritable spiritualité. Mais il n'est pas facile d'aborder une telle rationalisation, parce que tout est vu à travers le filtre de la philosophie et de la logique de l'ego, de sorte que tout paraît clair, précis et cohérent. A chaque question, nous tâchons de trouver une réponse qui nous justifie. Pour nous rassurer, nous nous employons à faire entrer dans un schéma intellectuel tout ce qui, dans nos vies, porterait à confusion. Et nous nous efforçons avec tellement de droiture et de sincérité, de sérieux et de solennité, qu'il n'y a guère de place pour le soupçon. Nous avons foi en l' « intégrité » de notre conseiller spirituel.

Peu importent les moyens employés pour cette autojustification : sagesse des livres sacrés, cartes ou diagrammes, calculs mathématiques, formules ésotériques, fondamentalisme religieux, psychologie des profondeurs ou tout autre mécanisme. A chaque fois que nous commençons à porter des jugements de valeur, décidant que nous devrions, ou pas, faire ceci ou cela, nous associons déjà notre pratique ou notre savoir à des catégories qui vont par paires d'opposées — voilà le matérialisme spirituel, la spiritualité frelatée de notre conseiller spirituel. Dès que nous formons une notion dualiste comme : « Je fais ça pour atteindre un état particulier de conscience, un état particulier d'être », nous nous séparons automatiquement de la réalité que nous sommes.

On se demandera : « Qu'y a-t-il de mal à porter des jugements de valeur, à prendre parti? »; la réponse est que lorsque nous formulons un jugement secondaire « je devrais faire ceci et éviter de faire cela », nous atteignons un niveau de complication qui nous transporte à mille lieues de la fondamentale simplicité de ce que nous sommes. La simplicité de la méditation consiste tout bonnement à faire l'expérience de l'instinct simiesque de l'ego. Et si quelque chose est surimposé à notre psychisme, alors nous nous revêtons d'un masque lourd, épais, d'une sorte d'armure.

Il est important de voir que le point essentiel de toute pratique spirituelle est de sortir de la bureaucratie de l'ego, c'est-à-dire de ce constant désir qu'a l'ego d'une forme plus haute, plus spirituelle, plus transcendante du savoir, de la religion, de la vertu, de la discrimination, du confort, bref, de ce qui fait l'objet de sa quête particulière. Il faut sortir du matérialisme spirituel. Si nous n'en sortons pas, si nous en faisons notre pratique, nous nous doterons peut-être d'une vaste collection de sentiers spirituels, fort précieuse à notre avis. Nous avons tellement étudié! Peut-être avons-nous étudié les philosophies occidentales ou les mystiques orientales, pratiqué le yoga ou même recueilli les enseignements de dizaines de grands maîtres. Nous sommes accomplis car nous savons tellement de choses! Nous sommes intimement persuadés d'avoir amassé un trésor de connaissances. Et, pourtant, à l'issue de cet itinéraire, il y a encore quelque chose à abandonner. Quel mystère! Comment est-ce possible? C'est impossible... Hélas, c'est pourtant vrai. Ces trésors de connaissances, ces sommes d'expériences ne sont qu'un élément de la vitrine de l'ego, ils concourent à le rendre plus grandiose. Nous les affichons et, ce faisant, nous nous rassurons sur notre existence, confortable et sans risques, d'êtres « spirituels ».

En fait, nous avons simplement monté une boutique, une boutique d'antiquités. Peut-être nous sommes-nous spécialisés dans les objets orientaux, les antiquités du Moyen Age chrétien, ou les vieilleries de telle culture à telle époque, mais, quoi qu'il en soit, nous sommes des boutiquiers. Avant d'être bourrée d'objets, la pièce était belle : des murs passés à la chaux, un simple plancher, et une lampe brillant au plafond. Un objet d'art trônait au milieu de la pièce et c'était beau. Tout le monde venait jouir de cette beauté, à commencer par nous.

Mais nous n'étions pas satisfaits. Nous pensions : « Si ce seul objet embellit tellement ma chambre, plus j'aurai d'antiquités plus ce sera beau. » Alors, nous avons commencé à collectionner et le résultat fut le chaos.

Nous avons parcouru la planète entière à la recherche de beaux objets — l'Inde, le Japon, et les contrées les plus diverses. Et, à chaque fois que nous trouvions une pièce rare, comme nous n'en découvrions qu'une à la fois, nous la trouvions belle et pensions qu'elle ornerait notre boutique. Mais, lorsque nous rentrions avec l'objet, il venait s'ajouter à notre bazar hétéroclite. L'objet n'irradiait plus aucune beauté dès lors qu'il était perdu au milieu de tant de choses merveilleuses. Il ne signifiait plus rien. Et notre chambre magnifique prenait figure de magasin de brocante!

Le véritable amateur d'art n'accumule ni le savoir ni la beauté, il jouit pleinement de chaque objet. C'est un point fondamental. Si l'on apprécie réellement un bel objet, on s'identifie complètement avec lui et l'on s'oublie soi-même. Il en est de même lorsque vous voyez un film passionnant et que vous perdez la conscience d'être un spectateur. A ce moment précis, le monde n'existe plus; tout notre être se résume à cette scène du film. Voilà bien ce dont il s'agit, une complète identification avec l'objet. Alors, qu'en est-il de ce si bel objet, de cet enseignement spirituel? L'avons-nous goûté, mâché et avalé correctement, ce simple objet de beauté, ce simple enseignement spirituel, ou bien l'avons-nous seulement considéré comme un morceau de notre collection en expansion?

J'insiste sur ce point parce que je sais bien que personne d'entre nous n'est venu aux enseignements et à la pratique de la méditation pour faire de l'argent, mais qu'au contraire nous voulons sincèrement apprendre et nous développer. Mais, si nous considérons la connaissance comme une « sagesse antique » à amasser, nous faisons fausse route.

Pour autant qu'il s'agit de la transmission des maîtres, la connaissance n'est pas traitée comme une antiquité. Le maître fait l'expérience de la vérité des enseignements, et il la transmet à l'étudiant pour l'inspirer. Cette inspiration réveille l'étudiant, de la même façon qu'avant lui son maître fut éveillé. Plus tard, l'étudiant transmettra les enseignements à un nouvel étudiant, et c'est ainsi que va le processus. Les enseignements sont toujours adaptés à l'époque. La « sagesse antique », les vieilles légendes sont une fadaise. La transmission des enseignements n'est pas le récit des contes populaires que narre le grand-père à ses petits-enfants. Ça ne marche pas de cette façon. Il s'agit d'une expérience réelle.

Dans les Écritures tibétaines, on trouve ceci : « La connaissance doit être brûlée, martelée et battue comme de l'or pur. Alors seulement on peut la porter comme un bijou. » Ainsi, lorsque l'on reçoit l'enseignement spirituel des mains d'un autre, on ne l'avale pas sans examen, on le brûle, on le martèle, on le bat, jusqu'à ce qu'apparaisse la couleur brillante et digne du métal le plus précieux. Alors, on peut le façonner et lui donner l'apparence d'un bijou, avec la forme que l'on veut, et le porter. Le *dharma* concerne donc chacun, quel que soit son âge; c'est quelque chose de vivant. Il ne faut pas imiter le maître, essayer de devenir un double du maître. Les enseignements sont une expérience absolument personnelle, jusqu'au porteur actuel de la doctrine.

De nombreux lecteurs se sont, peut-être, familiarisés avec les histoires de Naropa, Tilopa, Marpa, Milarepa, Gampopa et autres maîtres de la lignée Kagyü. L'expérience de ces maîtres était vivante, et il en est de même pour les représentants actuels de la lignée. Seuls diffèrent les détails des situations de leurs existences. Les enseignements sont comme le pain qui sort du four : à la fois frais et brûlant. Chaque boulanger applique le savoir universel de la boulange à son four et à sa pâte à lui. Il fait personnellement l'expérience de la fraîcheur et de la chaleur de son pain : il le coupe frais et le mange chaud. Il fait siennes les leçons et les met en pratique. C'est un processus extrêmement vivant. Il n'y a pas d'illusion concernant l'accumulation de connaissances. On doit travailler avec son expérience personnelle. Et si les choses deviennent confuses, il n'est pas question de revenir à notre collection privée pour tâcher d'y trouver quelque confirmation ou consolation du style : « Le maître et l'enseignement sont de mon côté. » Le sentier spirituel ne va pas ainsi. C'est un chemin solitaire et individuel.

Q. Pensez-vous que le matérialisme spirituel soit un problème spécifiquement américain?

R. Chaque fois que des enseignements sont apportés de l'étranger dans un pays, le problème du matérialisme spirituel connaît un regain d'intensité. Aujourd'hui, l'Amérique est, sans aucun doute, une terre fertile prête à recevoir les enseignements. Et c'est justement parce que cette terre est fertile, en quête de spiritualité, qu'elle est une bonne proie pour les charlatans. Les charlatans ne seraient pas ce qu'ils sont s'ils n'avaient de bonnes raisons d'être des charlatans. Sinon, ils dévaliseraient plutôt les banques, dans la mesure où ils souhaitent devenir riches et célèbres. C'est précisément parce que le continent nord-américain est engagé dans une intense quête spirituelle que la religion devient un moyen aisé de gagner de l'argent et d'acquérir de la renommée. Aussi voyons-nous des charlatans aussi bien dans le rôle de l'étudiant, chela, que dans celui du gourou. Je trouve que dans le temps présent, l'Amérique est une terre bien intéressante.

Q. Avez-vous accepté quelque maître spirituel vivant comme guru?

R. Plus maintenant. J'ai laissé physiquement derrière moi, au Tibet, mes maîtres et mes gourous, mais les enseignements restent avec moi et continuent.

Q. Mais alors qui suivez-vous?

R. Les situations sont la voix de mon maître, la présence de mon maître.

Q. Lorsque Shakyamuni le Bouddha eut atteint l'illumination, subsistait-il en lui quelque trace d'ego de telle sorte qu'il pût mener à bien son enseignement?

R. L'enseignement se produisit. Bouddha n'avait ni le désir d'enseigner, ni celui de ne pas enseigner. Il passa sept semaines assis à l'ombre d'un arbre et marchant le long du fleuve. Et puis, quelqu'un survint, et il commença à parler. On n'a pas le choix; on est là, ouvert, la situation se présente et l'enseignement a lieu. Voilà ce que l'on appelle « activité de Bouddha ».

Q. Dans le domaine spirituel, il est difficile de ne rien vouloir acquérir. Est-ce qu'en chemin on perd ce désir d'acquérir quelque chose?

R. Laissez s'éteindre la première impulsion. Votre premier mouvement en direction de la spiritualité vous conduira peut-être à un certain type de milieu spirituel; mais si vous travaillez mû par cette impulsion, elle s'évanouira graduellement et le moment viendra où elle paraîtra fastidieuse, monotone. C'est là une indication fort utile. Voyez-vous, il est essentiel que vous vous branchiez sur vous-même, sur votre propre expérience *réelle*. Si l'on ne se branche pas sur soi-même, le sentier spirituel devient dangereux, une distraction extérieure plutôt qu'une expérience personnelle organique.

Q. Si l'on se décide à sortir de l'ignorance, il y a fort à parier que tout ce qui paraîtra bon dans ce que l'on fera profitera à l'ego et, de fait, entravera la progression. Tout ce qui semblera bon sera mauvais; tout ce qui ne nous renversera pas nous enfoncera. Comment en sortir?

R. Si vous faites quelque chose de bon en apparence, cela ne veut pas dire que c'est mauvais, pour la bonne raison que le bien et le mal sont en dehors du sujet. On ne travaille pas d'un seul côté, que ce soit celui du « bien » ou du « mal », on travaille avec l'intégralité du tout, au-delà de « ceci » et « cela ». Je dirais que l'action trouve sa complétude. L'acte n'est pas partial, mais tout ce que nous faisons en relation avec le bien et le mal nous donne l'illusion de la partialité.

Q. Si l'on nage dans la confusion et que l'on cherche à en sortir, on fait parfois trop d'efforts. Mais si l'on ne s'efforce pas, comment arrive-t-on à comprendre que l'on se dupe?

R. Certes, mais cela ne signifie pas qu'il faille pratiquer les extrêmes du trop d'efforts ou de l'absence d'efforts. Il faut pratiquer une sorte de « voie du milieu », être complètement « ce que l'on est ». On pourrait édifier toute une littérature sur le sujet, mais il faut simplement le faire. Si l'on commence à vivre réellement la voie du milieu, alors on verra, on trouvera. Il faut s'accorder la faveur de se faire confiance, se fier à sa propre intelligence. Nous sommes des gens extraordinaires qui avons en nous des choses fabuleuses. Simplement, il nous faut nous laisser être. Une aide extérieure ne sert de rien. Si l'on ne veut pas se laisser croître, on bascule dans le processus autodestructeur de la confusion. Personne d'autre que nous-mêmes ne nous détruit. Et c'est bien pourquoi c'est si efficace : il s'agit d'une autodestruction.

Q. Qu'est-ce que la foi? Est-elle utile?

R. La foi peut être simple et aveugle, ou bien il peut s'agir d'une indestructible confiance. La foi aveugle est dépourvue d'inspiration. Elle est très naïve. Elle n'est pas créatrice, sans être pour autant exactement destructrice. Elle n'est pas créatrice parce que vous-mêmes et la foi n'entrez pas réellement en relation, en communication. Simplement, vous acceptez aveuglément l'intégralité de la croyance, en toute naïveté.

Lorsque la foi est la confiance, une raison vivante nous porte à être confiants. On n'attend pas qu'une solution préfabriquée se présente mystérieusement. On travaille sans peur sur des situations existantes, et l'on n'éprouve aucun doute lorsque l'on s'y engage. C'est une approche extrêmement créatrice et positive. Si l'on a confiance, on est sûr de soi et l'on n'a pas à se vérifier. Cette confiance est *absolue,* c'est une compréhension réelle de ce qui se passe ici et maintenant, et, dès lors, on n'hésite pas à emprunter de nouveaux chemins, ni à agir de la façon qu'exige chaque nouvelle situation.

Q. Qu'est-ce qui nous guide sur le sentier?

R. A vrai dire, il ne semble pas qu'il y ait un guide particulier. En fait, si quelqu'un nous guide, c'est suspect, parce que alors nous nous appuyons sur un élément extérieur. Être pleinement ce que nous sommes, voilà ce qui nous guide, et il n'y a rien à suivre. On n'a pas à suivre la queue de quelqu'un, on navigue seul. En d'autres termes, le guide ne marche pas devant soi, mais avec soi.

Q. Pourriez-vous dire un mot de la façon dont la méditation court-circuite les mécanismes de défense de l'ego?

R. Les mécanismes de défense de l'ego impliquent que l'on se vérifie, ce qui est une forme superflue d'introspection. La méditation ne signifie pas méditer *sur* un sujet particulier en se vérifiant; on s'identifie complètement avec les techniques que l'on emploie, quelles qu'elles soient. Dès lors, on ne s'efforce pas de se sécuriser par la pratique de la méditation.

Q. J'ai le sentiment de vivre dans un dépotoir spirituel. Comment en faire une simple pièce dotée d'un seul objet de beauté?

R. Pour apprécier votre collection, commencez par un seul objet. Trouvez une pierre de gué, une source d'inspiration. Peut-être n'aurez-vous pas à passer par le reste des objets si vous en avez étudié un. Cet objet peut être un panneau indicateur que vous aurez dérobé dans la ville de New York, il se peut qu'il atteigne ce degré d'insignifiance. Mais il faut commencer avec une chose, voir la simplicité, la qualité brute de cet objet au rebut ou de cette pièce rare. Si nous pouvons commencer avec une seule chose, ce sera comme posséder un objet dans une chambre vide. Je crois qu'il faut trouver une pierre de gué. Nous avons tellement de choses dans notre collection que nous ne savons par quoi commencer. Il nous faut laisser notre instinct déterminer l'objet à élire en premier lieu.

Q. Pourquoi, à votre avis, les gens tâchent-ils tant de protéger leur ego? Pourquoi est-il si difficile de lâcher prise sur son ego?

R. Les gens ont peur de la vacuité de l'espace, de l'absence de compagnie, de l'absence d'ombre. N'avoir rien ni personne sur quoi se brancher peut se révéler être une expérience terrifiante. L'idée à elle seule peut être effrayante au plus haut point, même si elle n'a aucune commune mesure avec l'expérience réelle. Généralement intervient une peur de l'espace, la peur de ne pouvoir s'ancrer dans aucun terrain solide, de perdre son identité comme chose fixe, solide et définie. Cela pourrait paraître menaçant.

Lâcher prise

Nous en arrivons peut-être à la conclusion que nous devrions laisser tomber toute la comédie du matérialisme spirituel; c'est-à-dire que nous devrions arrêter d'essayer de nous protéger et de nous améliorer. Il est possible que nous ayons entrevu la futilité de notre combat et que nous souhaitions lâcher prise, abandonner complètement nos efforts pour nous défendre. Mais combien parmi nous peuvent vraiment le faire? Ce n'est ni aussi simple ni aussi facile que nous pourrions le croire. Jusqu'à quel degré pouvons-nous réellement lâcher prise et nous ouvrir? A quel moment l'autodéfense reprendra-t-elle le dessus?

Nous voici sur le point d'examiner le lâcher prise, particulièrement en tant qu'il concerne la relation entre le travail sur un état névrotique et le travail avec un gourou personnel ou un gourou spirituel. S'abandonner au maître, cela revient peut-être à ouvrir notre esprit aux situations de la vie aussi bien qu'à un maître individuel. Mais, si notre façon de vivre et l'inspiration qui nous anime nous acheminent en direction d'un déploiement de notre esprit, il est à gagner que nous trouverons un maître personnel. Aussi, mettrons-nous maintenant l'accent sur la relation avec un maître spirituel.

L'une des difficultés concernant l'abandon à un maître réside dans nos idées préconçues quant à lui, et dans nos anticipations sur ce qui surviendra en sa compagnie. Nous sommes occupés par l'idée de ce dont nous voudrions faire l'expérience avec le maître spirituel : « J'aimerais voir ceci; et ce serait la meilleure façon de le voir; j'aimerais faire l'expérience de cette situation particulière, parce qu'elle s'accorde exactement avec ce que j'attends, et qui me fascine. »

Aussi cherchons-nous à classer ou à caser les choses, essayant d'adapter la situation à notre attente, et nous ne pouvons rien lâcher de ce que nous anticipons. Si nous cherchons un maître gourou, il nous faut un saint homme, un être paisible, simple, serein et cependant sage. Et, lorsque nous découvrons qu'il ne répond pas à notre attente, nous sommes déçus et commençons à douter.

Si nous voulons établir une véritable relation de maître à disciple, il nous faut abandonner toutes nos idées préconçues concernant cette relation aussi bien que les conditions de l'ouverture et de l'abandon. « Lâcher prise » signifie s'ouvrir complètement, essayer d'aller au-delà de la fascination et de l'attente.

Lâcher prise, cela veut aussi dire que l'on reconnaît les qualités rudes, grossières, maladroites et choquantes de son propre ego, et que cette reconnaissance est un abandon. Il est généralement très difficile d'abandonner ces caractéristiques de l'ego. Bien que nous puissions aller jusqu'à nous haïr, en même temps cette violence dirigée contre nous-mêmes nous occupe, en quelque sorte. En dépit du fait que nous n'aimons probablement pas ce que nous sommes et que nous souffrons de cette autocondamnation, nous n'arrivons pas à l'abandonner complètement. Si nous commençons à abandonner l'autocritique, il se peut que nous sentions alors que nous perdons ce qui nous occupe, comme si quelqu'un nous enlevait notre métier. Si nous abandonnions tout, nous n'aurions plus rien dont nous pourrions nous occuper; il n'y aurait plus rien à quoi se cramponner. Se tenir en estime ou se blâmer, ce sont là fondamentalement des tendances névrotiques qui proviennent de ce que nous n'avons pas suffisamment confiance en nous-mêmes, « confiance » dans le sens de voir ce que nous sommes, savoir ce que nous sommes, et savoir que nous pouvons nous permettre de nous ouvrir. Nous *pouvons* nous permettre d'abandonner la qualité névrotique — rude et grossière — de notre moi et sortir de la fascination, sortir des idées préconçues.

Il nous faut abandonner nos espoirs et nos attentes, comme aussi bien nos peurs, et entrer de plain-pied dans la déception, travailler avec la déception, entrer dedans et en faire notre mode de vie, ce qui est loin d'être aisé. La déception manifeste que nous sommes fondamentalement intelligents. On ne peut la comparer à rien d'autre; elle est si nette, précise, évidente et directe. Si nous pouvons nous ouvrir, nous commençons soudain à voir que notre attente n'est pas pertinente, comparée à la réalité des situations que nous affrontons — et automatiquement surgit un sentiment de déception.

La déception est le meilleur véhicule que l'on puisse utiliser sur le sentier du dharma. Elle infirme l'existence de notre ego et de ses rêves. Cependant, si nous sommes engagés dans le matérialisme spirituel, si nous considérons la spiritualité comme une partie de notre accumulation de savoir et de vertu, si la spiritualité devient une façon de nous construire, alors, bien sûr, le processus de l'abandon dans son ensemble est complètement distordu. Si nous considérons la spiritualité comme un moyen de nous mettre à l'aise, alors nous tâcherons de rationaliser chaque expérience désagréable, chaque déception : « Évidemment il doit s'agir d'un acte de sagesse de la part de mon gourou, parce que je sais, je suis absolument sûr que mon gourou ne peut pas faire le mal. C'est un être parfait et toutes ses actions sont justes. Tout ce que *Guruji* fait, il le fait pour moi, parce qu'il est de mon côté. Aussi je puis bien me permettre de m'ouvrir. Je peux lâcher prise en toute sécurité. Je sais que j'avance sur le droit chemin. » Il y a quelque chose de pas très juste dans une telle attitude. Elle témoigne, au mieux, de notre esprit simple et naïf. Nous sommes captivés par l'aspect terrible et inspirant, digne et coloré du « Maître ». Nous n'osons pas voir différemment. Nous sommes convaincus que tout ce dont nous faisons l'expérience est partie intégrante de notre développement spirituel. « Ça y est, j'ai l'expérience, je me suis fait moi-même et je connais tout, peu ou prou; les livres que j'ai lus confirment mes croyances, la justesse de mes idées. Tout coïncide. »

Il est encore une autre façon de nous retenir, de ne pas lâcher réellement prise, lorsque nous avons le sentiment d'être des gens très fins, des gens sophistiqués et dignes. « Je ne vais certainement pas m'abandonner à cette réalité de la rue, sale et ordinaire. » Il nous semble que chaque pas du sentier que nous foulons devrait être un pétale de lotus, et nous forgeons une logique qui nous permette d'interpréter de cette manière tout ce qui nous arrive. Si nous trébuchons, nous créons un atterrissage en douceur qui prévient le choc brutal; l'abandon n'implique pas que l'on essaye d'amortir son atterrissage, en fait on atterrit simplement sur un sol dur, ordinaire, dans une contrée rocheuse et sauvage. Si l'on s'ouvre, on atterrit sur *ce qui est.*

Traditionnellement, l'abandon est symbolisé par des pratiques comme la prosternation, qui est l'acte de tomber. En même temps, on s'ouvre psychologiquement et l'on s'abandonne complètement en s'identifiant avec ce qu'il y a de plus bas, en reconnaissant notre caractère brut et grossier. Ainsi, on se prépare à être un réceptacle vide, prêt à recevoir les enseignements.

Dans la tradition bouddhique, on trouve cette formule fondamentale : « Je prends refuge dans le Bouddha, je prends refuge dans le dharma, je prends refuge dans la sangha. » Je prends refuge dans le Bouddha comme l'exemple de l'abandon – l'exemple de la reconnaissance de la négativité comme une composante de notre être, et de l'ouverture à cette négativité. Je prends refuge dans le dharma — dharma, la « loi de l'existence », la vie comme elle est. Je souhaite ouvrir les yeux aux circonstances de la vie telles qu'elles sont. Je ne souhaite pas les voir sous un jour spirituel ou mystique, mais je veux voir les circonstances de la vie telles qu'elles sont réellement. Je prends refuge dans la sangha. « Sangha » signifie « communauté des êtres engagés sur le sentier spirituel », « compagnons ». Je souhaite partager mon expérience de l'environnement vital dans son intégralité avec mes compagnons voyageurs, mes compagnons chercheurs, ceux qui marchent avec moi; mais je ne veux pas m'appuyer sur eux pour avoir un soutien. Je désire simplement marcher de concert avec eux. Une tendance très dangereuse consiste à s'appuyer les uns sur les autres lorsque l'on avance dans le chemin. Si, dans un groupe, les uns prennent appui sur les autres, lorsque l'un trébuche tout le monde chute. Aussi ne prenons-nous pas autrui pour soutien. Nous marchons simplement ensemble, côte à côte, épaule contre épaule. Nous travaillons ensemble, nous allons ensemble. Cette approche de l'abandon, cette notion de prendre refuge est très profonde.

La façon erronée de prendre refuge implique la recherche d'un abri — on révère les montagnes, le soleil, la lune, les dieux de tout acabit simplement parce qu'ils paraissent supérieurs à nous. Cette façon de prendre refuge est semblable à la réponse du petit enfant qui dit : « Si tu me frappes je le dirai à maman », pensant que sa mère est une grande personne, dotée d'un pouvoir archétypal. Si on l'attaque, il recourt automatiquement à sa mère, qui est un être invincible, omniscient et omnipotent. L'enfant croit que sa mère peut le protéger et, en fait, que c'est la seule personne à pouvoir le sauver. Prendre refuge dans un principe maternel ou paternel est véritablement se défaire soi-même; le preneur de refuge n'a réellement aucune force fondamentale, aucune véritable inspiration. Il est sans cesse occupé à évaluer les pouvoirs en jeu. Si nous sommes petits, un plus grand que nous peut nous écraser. On cherche alors refuge parce que l'on ne peut pas se permettre d'être faible et sans défense. On a tendance à s'excuser : « Je suis une si petite chose, mais je reconnais votre grande qualité. Je souhaite révérer votre grandeur et m'y joindre, aussi, s'il vous plaît, protégez-moi. »

On ne lâche pas prise parce que l'on est bas et stupide, ni parce que l'on veut devenir élevé et profond. L'abandon n'a rien à voir avec les niveaux ni avec les jugements de valeur. Au contraire, on lâche prise parce que l'on souhaite communiquer avec le monde « tel qu'il est ». On n'a pas à se répartir en apprentis-savants et en ignorants. Nous savons où nous nous tenons, et dès lors nous faisons le geste de l'abandon, de l'ouverture, ce qui veut dire communiquer directement avec l'objet de notre abandon. Nous ne nous embarrassons pas de notre abondante collection de qualités brutes, grossières, belles et propres. Nous présentons tout à l'objet de notre abandon. L'acte fondamental de l'abandon n'implique pas que l'on révère une puissance extérieure. On donne plutôt prise à l'inspiration, de telle sorte que l'on devient un réceptacle vide dans lequel peut être versée la connaissance.

Ainsi l'ouverture et l'abandon sont-ils la préparation nécessaire au travail avec un ami spirituel. Nous reconnaissons notre richesse plutôt que de déplorer la pauvreté imaginaire de notre être. Nous savons que nous méritons de recevoir les enseignements, nous méritons de nous ouvrir à la richesse des occasions d'apprendre.

Le gourou

Lorsque l'on en vient au travail spirituel, on est confronté au problème de la relation avec un maître, lama, gourou, quel que soit le nom que l'on donne à la personne dont on suppose qu'elle va nous dispenser un enseignement spirituel. Ces termes, en particulier celui de « gourou », ont acquis en Occident une résonance qui induit en erreur et, généralement, ajoute à la confusion concernant la signification du travail avec un maître spirituel. Ce n'est pas pour dire que les Orientaux savent se comporter avec un maître tandis que les Occidentaux ne savent pas trouver l'attitude juste; le problème est universel. Les gens viennent toujours à l'étude de la spiritualité avec des idées préconçues sur ce qu'ils vont obtenir et sur la façon de se comporter avec la personne, qui pensent-ils, va leur donner ce qu'ils attendent. L'idée même que l'on va *recevoir* quelque chose du maître — le bonheur, la paix de l'esprit, la sagesse, ou quoi que ce soit que l'on recherche — est, de tous les *a priori,* l'un de ceux qui pose les plus graves problèmes. Aussi serait-il bon, je crois, d'examiner la façon dont certains fameux disciples ont traité la question de la relation à la vie et au maître spirituels. Peut-être ces exemples auront-ils quelque pertinence par rapport à notre propre recherche individuelle.

L'un des plus célèbres maîtres tibétains, qui est aussi l'un des patriarches de la lignée Kagyü, dont je suis membre, fut Marpa, disciple du maître indien Naropa, et maître de

2. *Marpa.*

Milarepa, son très célèbre fils spirituel. Marpa était un bon exemple de self-made man. Il était issu d'une famille de fermiers, mais il était ambitieux et, tout jeune, il choisit la carrière scolastique et religieuse pour accéder à une position de renom. On peut imaginer la somme colossale d'efforts et la détermination qu'il fallut au fils d'un cultivateur pour se hausser à la position sacerdotale dans la tradition religieuse locale. Dans le Tibet du xe siècle, il n'y avait que peu de moyens pour un homme d'atteindre une position élevée : le commerce, le banditisme, ou, particulièrement, le sacerdoce. A l'époque, faire partie du clergé local représentait l'équivalent d'être, de nos jours, à la fois médecin, avocat et professeur d'université.

Marpa commença par apprendre le tibétain, le sanscrit, plusieurs autres langues, et la langue parlée en Inde. Après trois années d'études environ, il en savait assez pour gagner un peu d'argent comme répétiteur et, avec cet argent, il put continuer ses études et devint, éventuellement, un genre de prêtre bouddhiste. Un tel office lui donnait une renommée locale, mais Marpa ne voulait pas en rester là et, bien que marié et père de famille maintenant, il continua à faire des économies jusqu'à disposer d'une grosse quantité d'or.

Alors, il annonça à ses proches son intention de se rendre en Inde pour y recueillir d'autres enseignements. A cette époque, l'Inde était le centre mondial des études bouddhiques, la terre de l'université Nalanda et des plus grands sages et savants bouddhistes. Marpa avait l'intention d'étudier et de rassembler des textes inconnus au Tibet, de les rapporter dans la mère-patrie, de les traduire, et de faire ainsi figure de grand savant-traducteur. Dans ce temps, et jusqu'à un temps récent, le voyage en Inde était un périple long et dangereux, aussi la famille et les amis de Marpa essayèrent-ils de lui faire abandonner son projet. Mais il était déterminé à exécuter ses intentions, et il se mit en route, accompagné d'un ami, étudiant comme lui.

Au terme d'un difficile voyage de plusieurs mois, ils parvinrent en Inde après avoir traversé l'Himalaya, se rendirent au Bengale et, là, se séparèrent. L'un et l'autre étaient assez avancés dans l'étude des langues et des religions; aussi décidèrent-ils de chercher chacun son maître, en fonction de leurs goûts propres. Avant de se quitter, ils se mirent d'accord pour rentrer ensemble dans leur terre natale.

Alors qu'il traversait le Népal, Marpa avait entendu parler du maître Naropa, qui jouissait de la plus haute célébrité. Naropa avait été abbé de l'université Nalanda, qui fut peut-être le plus grand centre d'études bouddhiques que le monde ait jamais connu. A l'apogée de sa carrière, sentant qu'il comprenait la signification des enseignements mais que leur véritable sens lui échappait, il avait abandonné son poste et s'était mis en quête d'un maître. Durant douze ans, il avait enduré les épreuves les plus épouvantables infligées par son maître Tilopa, jusqu'à ce qu'il atteigne finalement la réalisation. A l'époque où Marpa avait entendu parler de lui, il avait la réputation d'être l'un des plus grands saints bouddhistes qui ait jamais existé. Aussi, tout naturellement, Marpa se mit-il à sa recherche.

Il le découvrit, vivant pauvrement dans une cabane, au cœur de la forêt bengali. Marpa s'attendait à ce qu'un si grand maître vécût dans un décor religieux de grande classe; aussi fut-il quelque peu déçu. Mais comme il était un peu déconcerté par l'étrangeté d'un pays qui n'était pas le sien, il était ouvert à la nouveauté et se dit que c'était peut-être la façon dont vivaient les maîtres indiens. Et puis, Naropa était tellement célèbre; cela contrebalança la déception; il lui donna presque tout son or et lui demanda de bien vouloir l'instruire. Il lui dit qu'il était marié, prêtre, savant, et fils de fermiers tibétains, qu'il n'avait pas l'intention d'abandonner la vie qu'il s'était faite, mais qu'il souhaitait rassembler des enseignements inédits, les rapporter au Tibet et les traduire là-bas pour gagner beaucoup d'argent. Naropa ne fit aucune difficulté pour accepter la requête de Marpa, il commença à lui dispenser son enseignement. Tout allait bien.

Au bout d'un certain temps, Marpa décida qu'il en avait appris assez pour réaliser ses desseins, et il se disposa à rentrer chez lui. Il se rendit dans une auberge d'une grande ville où il retrouva son compagnon de voyage, et tous deux s'assirent pour comparer les résultats de leurs efforts. Lorsque son ami vit le butin de Marpa, il éclata de rire et lui dit : « Ce que tu as rassemblé ne vaut rien! Nous avons déjà ces enseignements au Tibet. Tu dois bien avoir trouvé quelque chose de plus excitant et de plus rare. De mon côté, j'ai eu accès à des enseignements extraordinaires que j'ai reçus de très grands maîtres. »

Marpa fut naturellement saisi par un sentiment de frustration et de colère extrêmement intense, après un si long voyage, de telles difficultés et d'aussi grands frais; aussi décida-t-il de retourner auprès de Naropa et de tenter sa chance une seconde fois. Lorsqu'il arriva à la hutte de Naropa, il demanda à recevoir des enseignements plus rares, exotiques et avancés. Quelle ne fut pas sa surprise lorsque Naropa lui répondit : « Je suis désolé, mais tu ne peux recevoir ces enseignements de moi. Il te faut aller les recevoir d'un autre qui s'appelle Kukuripa. Le voyage est difficile, en particulier parce que Kukuripa vit sur une île au milieu d'un lac empoisonné. Mais c'est lui qu'il faut voir si tu veux recevoir ces enseignements. »

Marpa commençait à être désespéré, aussi décida-t-il de tenter le voyage. De plus, pensa-t-il, si Kukuripa détenait un savoir que même le grand Naropa ne pouvait lui dispenser et, par surcroît, vivait sur une île au milieu d'un lac empoisonné, ce devait être un maître très extraordinaire, un grand mystique.

Ainsi Marpa fit-il le voyage et réussit-il à traverser le lac jusqu'à l'île, où il se mit en quête de Kukuripa. Il découvrit un vieil Indien vivant dans la fange au milieu de centaines de chiennes. La situation était bizarre, c'est le moins que l'on puisse dire, mais Marpa tenta toutefois de parler à Kukuripa. Tout ce qu'il obtint en retour fut un charabia. Tout ce que Kukuripa disait semblait être du baragouin.

La situation était devenue quasi insoutenable. Non seulement les éructations de Kukuripa étaient complètement inintelligibles, mais Marpa devait constamment se tenir sur ses gardes pour ne pas être attaqué par les chiennes. Dès qu'il en amadouait une, une autre commençait à aboyer et menaçait de le mordre. Finalement, presque hors de lui, Marpa laissa tout tomber; il renonça à essayer de prendre des notes, il renonça à vouloir recevoir aucune espèce de doctrine secrète. Alors, Kukuripa se mit à lui parler de façon parfaitement cohérente et intelligible, les chiennes le laissèrent tranquille, et il reçut les enseignements.

Lorsqu'il eut achevé ses études avec Kukuripa, Marpa revint une fois encore auprès de son premier maître, Naropa. Celui-ci dit : « Il te faut maintenant retourner au Tibet et enseigner. Car ce n'est pas assez de recevoir les enseignements de façon théorique. Il te manque certaines expériences de la vie. Ensuite, tu reviendras poursuivre tes études. »

A nouveau, Marpa retrouva son compagnon chercheur et ils entreprirent le long voyage de retour vers le Tibet. Le compagnon de Marpa avait beaucoup étudié, lui aussi; les deux hommes transportaient des ballots de manuscrits et au long du chemin, ils entreprirent de confronter leurs découvertes. Bientôt, Marpa se sentit mal à l'aise avec son ami, qui semblait de plus en plus curieux de connaître les enseignements qu'il avait recueillis. Leurs conversations n'arrêtaient plus de tourner autour de ce sujet, jusqu'à ce que, finalement, le compagnon décidât que Marpa avait obtenu des enseignements plus valables que lui, et devînt tout à fait jaloux. Alors qu'ils traversaient une rivière en bateau, le collègue de Marpa commença à se plaindre d'être mal à l'aise et encombré par tout le chargement qu'ils transportaient. Il changea de position dans le bateau, comme pour se mettre à son aise, et réussit, dans son mouvement, à jeter tous les manuscrits de Marpa dans la rivière. Marpa essaya désespérément de les rattraper, mais ils étaient partis. Tous les textes qu'il était allé chercher si loin avaient disparu en un instant.

Aussi fut-ce avec le sentiment d'une grande perte que Marpa retourna au Tibet. Il avait beaucoup d'histoires à raconter sur ses voyages et ses études, mais rien de solide pour prouver la véracité de son savoir et de son expérience. Il passa cependant plusieurs années à travailler et à enseigner jusqu'à ce que, à sa surprise, il réalisât que ses écrits ne lui eussent été d'aucun secours, même s'il avait pu les sauver. Alors qu'il était en Inde, il avait pris des notes écrites seulement sur les fragments de l'enseignement qu'il ne comprenait pas. Il n'avait pas consigné les leçons qui faisaient partie de sa propre expérience. Il lui avait fallu des années pour découvrir qu'elles étaient véritablement devenues une part de lui-même.

Cette découverte ôta à Marpa tout désir de tirer un profit des enseignements. Il ne chercha plus à gagner de l'argent ou à atteindre la célébrité, mais fut animé par le désir de réaliser l'illumination. Aussi rassembla-t-il de la poussière d'or pour l'offrir à Naropa et fit-il à nouveau le voyage en Inde. Cette fois, il arrivait brûlant du désir de voir son maître et de recevoir son enseignement.

Cependant, la rencontre qui s'ensuivit entre Marpa et Naropa fut très différente des précédentes. Naropa semblait très froid et impersonnel, presque hostile, et ses premiers mots à Marpa furent : « Je suis content de te revoir. Combien d'or m'apportes-tu pour mon enseignement? »

Marpa avait apporté une grosse quantité d'or, mais il voulait en garder un peu pour ses dépenses personnelles et son voyage de retour. Aussi ouvrit-il le paquet et donna-t-il à Naropa seulement une partie de ce qu'il avait. Naropa regarda l'offrande et dit : « Non, ce n'est pas assez. Il me faut plus d'or que cela pour mon enseignement. Donne-moi tout ton or. » Marpa lui en donna un petit peu plus, et à nouveau Naropa demanda tout, et cela continua jusqu'à ce que, finalement, Naropa éclate de rire et lui dise : « Crois-tu que tu peux acheter mon enseignement avec ta tromperie? » Marpa céda alors et donna à Naropa tout l'or qu'il possédait. Et quel ne fut pas son émoi lorsqu'il vit Naropa agiter les sacs et commencer à disperser la poudre d'or dans l'atmosphère.

Soudain, Marpa se sentit envahi par la confusion et la paranoïa. Il ne comprenait plus rien de ce qui se passait. Il avait travaillé dur pour rassembler l'or qui lui permettrait d'acheter l'enseignement qu'il désirait tant. Naropa avait semblé indiquer qu'il avait besoin de cet or et qu'en retour, il enseignerait Marpa. Et voilà qu'il dispersait cet or à tous vents! Naropa dit alors : « Quel besoin ai-je de cet or? Le monde entier est de l'or pour moi! »

Ce fut un moment de grande ouverture pour Marpa. Il s'ouvrit et devint capable de recevoir les enseignements. Il resta longtemps avec Naropa et sa formation fut très austère, mais il ne se contenta pas d'écouter les enseignements comme autrefois, il frayait son chemin à travers eux. Il lui fallait abandonner tout ce qu'il avait, non seulement ses possessions matérielles, mais tout ce qu'il retenait dans son esprit. C'était un processus continuel d'ouverture et d'abandon.

Dans le cas de Milarepa, la situation se développa de façon tout à fait différente. C'était un paysan beaucoup moins instruit et raffiné que Marpa lorsqu'il avait rencontré Naropa, et il avait commis de nombreux crimes, y compris le meurtre. Il était malheureux au plus haut point, il avait soif de l'illumination, et il était prêt à payer le prix que Marpa lui demanderait, quel qu'il fût. Aussi Marpa fit-il payer Milarepa physiquement, au pied de la lettre. Il lui fit construire une série de maisons pour lui, l'une après l'autre, et lorsque l'une était achevée, Marpa demandait à Milarepa de la jeter bas et de rapporter toutes les pierres où il les avait trouvées, pour ne pas abîmer le paysage. A chaque fois que Marpa ordonnait à Milarepa de démanteler une maison, il lui donnait un prétexte, comme d'avoir été ivre lorsqu'il en avait exigé la construction, ou de ne jamais lui avoir demandé quoi que ce soit. Et, à chaque fois, Milarepa, empli du désir de recevoir l'enseignement, démolissait tout et recommençait à zéro.

Finalement, Marpa lui demanda une tour de neuf étages. Milarepa souffrit les pires tourments physiques en transportant les pierres et en édifiant la tour et, lorsqu'il eut fini, il alla voir Marpa et, de nouveau, lui demanda de bien vouloir lui dispenser l'enseignement. Mais Marpa lui dit : « Tu veux recevoir mon enseignement, simplement comme ça, parce que tu as construit cette tour pour moi? Eh bien, j'ai peur que tu doives encore me donner un cadeau comme frais d'initiation. »

A ce moment, Milarepa ne possédait absolument plus rien, ayant passé tout son temps et consacré tous ses efforts à construire des tours. Mais Damema, la femme de Marpa, eut pitié de lui et dit : « Ces tours que tu as construites sont un geste de foi et de dévotion tellement merveilleux. Je suis sûre que mon mari ne s'opposera pas à ce que je te donne quelques sacs d'orge et un rouleau de tissu pour ton offrande d'initiation. » Aussi Milarepa emporta-t-il l'orge et le tissu au cercle initiatique où enseignait Marpa, et il les offrit en paiement, à côté des cadeaux des autres étudiants. Mais Marpa, lorsqu'il reconnut le présent, devint furieux et cria à Milarepa : « Ces choses m'appartiennent, hypocrite! Tu essayes de me duper! » Et il chassa Milarepa du cercle initiatique, littéralement, à coups de pied.

Parvenu à ce point, Milarepa abandonna tout espoir de jamais persuader Marpa de lui délivrer les enseignements. Désespéré, il décida de se suicider et il allait se tuer lorsque Marpa vint le trouver et lui dit qu'il était prêt à recevoir l'enseignement.

Pour recevoir l'enseignement, il faut que l'étudiant donne

quelque chose en retour; il y a nécessité d'une sorte d'abandon psychologique, d'un cadeau quelconque. Et c'est bien pourquoi nous avons dû aborder la question du lâcher prise, de l'ouverture, de l'abandon de toute attente, avant de pouvoir parler de la relation entre maître et disciple. Il est essentiel d'abandonner, de s'ouvrir, de se présenter au maître tel que l'on est, plutôt que d'essayer de se présenter comme un étudiant valable. Peu importe combien on est prêt à payer, si l'on se comporte correctement, et si l'on est assez malin pour bien dire ce qu'il faut dire. Il ne s'agit pas d'une interview comme pour trouver du travail ou acheter une voiture. On obtient le travail que l'on recherche si l'on a de bonnes références, si l'on est proprement habillé, les chaussures bien cirées, si l'on parle bien et si l'on a de bonnes manières. On obtient la voiture si l'on dispose de suffisamment d'argent ou si l'on a un crédit sûr.

Mais, dans le domaine spirituel, quelque chose en plus est exigé. Il n'est plus question de chercher un travail, et de se mettre sur son trente et un pour impressionner un employeur potentiel. Une telle mise en scène n'est d'aucun effet dans une entrevue avec un maître, car il voit directement à travers nous. Il est amusé si nous avons fait un effort d'élégance pour venir le voir. Quant aux gestes trop prévenants, ils ne sont pas adaptés à la situation : en fait, ils sont futiles. Nous devons nous engager réellement à nous ouvrir en face de notre maître; nous devons souhaiter abandonner toutes nos idées préconçues. Milarepa s'attendait à rencontrer en Marpa un grand savant et un être rayonnant de sainteté, habillé en yogin, portant des chapelets, récitant des mantras, et plongé dans une profonde méditation. Il trouva Marpa en train de travailler dans sa ferme, de donner des ordres à ses manœuvres et de labourer sa terre.

J'ai bien peur que le terme de « maître » ou de « gourou » soit trop employé en Occident. Mieux vaudrait parler de l' « ami spirituel », puisque les enseignements mettent l'accent sur la rencontre de deux esprits. Il s'agit d'une communication mutuelle, plutôt que d'une relation maître-serviteur entre un être hautement évolué et un autre, malheureux et empli de confusion. Dans la relation de maître à serviteur, l'être hautement évolué peut même ne pas donner l'impression d'être assis sur son siège, mais paraître flotter, léviter, nous regarder d'en haut. Sa voix pénètre, emplit l'espace. Chaque mot, chaque raclement de gorge, le moindre geste sont signes de sagesse. Mais c'est un rêve. Un gourou est un ami spirituel qui nous communique et présente ses qualités, comme fit Marpa avec Milarepa, et Naropa avec Marpa. Marpa se présenta comme un yogin-fermier. Il se trouve qu'il avait une femme et sept enfants, et qu'il s'occupait de sa ferme, cultivait la terre et subvenait à ses besoins et à ceux de sa famille. Les activités étaient un élément ordinaire de sa vie. Il prenait soin de ses étudiants de la même façon que de ses récoltes et de sa famille. Il était tellement profond, tellement concentré sur chaque détail de sa vie quotidienne, qu'il était capable d'être un maître compétent aussi bien qu'un père de famille et un fermier avisé. Il n'y avait absolument aucun matérialisme physique ou spirituel dans le mode de vie de Marpa. Il ne mettait pas l'accent sur la spiritualité aux dépens de sa famille ou de sa relation physique avec la terre. Si l'on n'est pas piégé par le matérialisme, qu'il soit physique ou spirituel, on ne privilégie aucun extrême.

Il n'est d'aucun secours de prendre quelqu'un pour maître simplement parce qu'il est célèbre, parce qu'il s'est fait un nom en publiant des montagnes de livres et converti des milliers ou des millions de gens. Les critères sont bien plutôt les suivants : êtes-vous, oui ou non, véritablement capable de communiquer avec cette personne, de façon directe et profonde? Jusqu'à quel point vous illusionnez-vous? Si vous vous ouvrez véritablement à votre ami spirituel, alors vous pouvez travailler ensemble. Êtes-vous en mesure de lui parler avec justesse et profondeur? Sait-il quelque chose de vous?

Et sait-il quelque chose de lui-même, d'ailleurs? Est-il réellement capable de voir à travers vos masques, de communiquer avec vous d'une façon directe et juste? Voici quels paraissent être les critères lorsque l'on cherche un maître, plutôt que la renommée ou la sagesse.

Une histoire intéressante raconte l'aventure d'un groupe de gens qui avaient décidé de se mettre à l'école d'un grand maître tibétain. Ils avaient déjà reçu quelque enseignement d'autres maîtres, mais tenaient à recevoir l'enseignement de ce maître particulier. Extrêmement désireux de devenir ses étudiants, ils lui demandèrent une entrevue, mais le maître ne voulut accepter aucun d'entre eux. « Je vous accepterai, leur dit-il, à la seule condition que vous renonciez à vos maîtres précédents. » Les membres du groupe discutèrent, tâchant de lui faire comprendre combien ils lui étaient attachés, combien sa réputation était grande, et à quel point ils souhaitaient étudier avec lui. Mais il refusait catégoriquement de les accepter, à moins qu'ils ne remplissent la condition exigée. Finalement, tous sauf un, décidèrent d'abandonner leurs maîtres précédents, qui, en fait, leur avaient appris beaucoup de choses. Le maître eut l'air très satisfait, et leur dit de revenir le lendemain. Mais, lorsqu'ils revinrent, il leur tint ce discours : « Je vois votre hypocrisie. La prochaine fois que vous irez voir un autre maître, vous m'abandonnerez. Alors, sortez d'ici. » Et il les jeta dehors, à l'exception de celui qui savait apprécier ce qu'il avait appris auparavant. La personne qu'il acceptait n'essayait pas d'entrer dans un jeu mensonger, elle n'essayait pas de faire plaisir au gourou en faisant semblant d'être autre chose que ce qu'elle était. Si vous voulez entrer en amitié avec un maître spirituel, faites connaissance simplement, ouvertement, de façon que s'instaure une communication sur un plan d'égalité, plutôt que d'essayer de forcer le maître à vous accepter.

Pour être accepté par votre maître comme un ami, ouvrez-vous complètement. Et, pour y arriver, vous devrez sans doute traverser des épreuves infligées par votre ami spirituel et par les situations de la vie en général, toutes ces épreuves prenant la forme de la déception. Le moment venu, vous douterez que votre ami spirituel éprouve le moindre sentiment, la moindre émotion, à votre égard. Vous serez alors confronté à votre hypocrisie. L'hypocrisie, fraude et distorsion fondamentale de l'ego, a la peau extrêmement dure et épaisse. Nous avons tendance à porter une cuirasse faite de couches protectrices superposées. Cette hypocrisie est très dense, et elle est à plusieurs niveaux : n'avons-nous pas plutôt retiré une épaisseur de notre cuirasse que nous en découvrons une autre par-dessous. Nous espérons toujours que nous n'aurons pas à nous déshabiller complètement. Nous espérons réussir à être présentables en nous dépouillant seulement de quelques épaisseurs. Nous arborons une nouvelle cuirasse et tâchons de présenter un visage avenant, mais notre ami spirituel ne porte aucune cuirasse; il est nu. Comparés à sa nudité, nous sommes entourés d'une chape de ciment. Notre cuirasse est tellement épaisse que notre ami ne peut pas sentir la texture de notre peau, notre corps. Il ne peut même pas voir véritablement notre visage. Il existe de nombreuses histoires de relations de maître à disciple, dans le passé, où le disciple avait à faire de longs voyages et à endurer de multiples épreuves jusqu'à ce que sa recherche fascinée commence à s'éroder. Car c'est bien là, semble-t-il, le point crucial : le mouvement qui nous porte à rechercher quelque chose est, en lui-même, un blocage. Lorsque le mouvement vient à s'user, alors notre nudité fondamentale commence à apparaître, et la rencontre des deux esprits peut prendre place.

Disons qu'à son premier stade, la rencontre d'un ami spirituel ressemble à une visite au supermarché. On est excité, on rêve à tout ce que l'on va acheter : la richesse et la couleur de la personnalité de cet ami spirituel. La seconde étape ressemblerait plutôt à une visite au tribunal, comme si l'on était un criminel. On n'est pas capable de satisfaire la demande de l'ami, et l'on commence à se sentir gêné, parce que l'on sait qu'il en sait sur nous autant que nous-même ce qui est embarrassant au plus haut point. Au troisième stade, la visite à l'ami spirituel ressemble à la contemplation d'une vache paissant avec bonheur dans la prairie. On se contente d'admirer sa sérénité et celle du paysage, et l'on poursuit son chemin. Enfin, la quatrième étape de la rencontre ressemble à la vision d'un rocher au bord de la route. On n'y fait même pas attention; on passe à côté et l'on s'éloigne.

Au début, on fait sa cour, on est amoureux du maître. Dans quelle mesure suis-je capable d'amener cette personne à mes fins? On souhaite se rapprocher de l'ami spirituel parce que l'on désire sincèrement étudier. On l'admire tellement. Mais en même temps, il est très effrayant; il nous déconcerte. La situation ne coïncide pas avec notre attente ou bien nous prenons conscience qu'il se peut fort bien que nous ne soyons pas capables de nous ouvrir complètement et profondément. Se développe alors une relation d'amour-haine, un processus simultané d'abandon et de fuite. En d'autres termes, on commence à jouer, on joue à vouloir s'ouvrir, à vouloir être impliqué dans une histoire d'amour avec le maître, et en même temps, on veut s'enfuir loin de lui. Si l'on s'approche trop de l'ami spirituel, on se sent accablé par lui. Comme dit un vieux proverbe tibétain : « Un gourou est comme le feu. Si l'on s'en approche trop on se brûle, si l'on s'en éloigne trop, on a froid. » Tout ce processus de faire du plat est le fait du disciple. Il essaie de se rapprocher du maître, et il se brûle. Alors, il veut s'enfuir.

Éventuellement la relation commence à devenir substantielle et solide. Nous en venons à réaliser que ce désir de nous approcher ou de nous éloigner du maître est simplement notre propre jeu. Cela n'a rien à voir avec la situation réelle : c'est nous qui nous hallucinons. Le maître, ou l'ami spirituel, est toujours là, brûlant, une vie ardente. Nous pouvons jouer avec lui, ou pas, comme nous voulons.

C'est alors que la relation avec l'ami spirituel commence à devenir très créatrice. On accepte d'être accablé par lui, ou distant de lui. S'il décide de jouer le rôle de l'eau glacée, on l'accepte. S'il décide de jouer le rôle du feu brûlant, on l'accepte. Plus rien de sa part ne peut choquer, et l'on se réconcilie avec lui.

A l'étape suivante, ayant accepté tout ce que peut faire l'ami spirituel, on commence à manquer d'inspiration propre parce que l'on a complètement abandonné, complètement lâché prise. On se sent réduit aux dimensions d'un atome de poussière. On est insignifiant. On a le sentiment que le seul monde qui existe est celui de l'ami spirituel, du maître. C'est comme lorsque l'on regarde un film passionnant; le film est tellement excitant qu'on entre dedans. On n'est plus là, il n'y a plus de salle de cinéma, plus de fauteuils, plus de public, plus d'amis assis à côté de soi. Le film est tout ce qui existe. C'est ce que l'on appelle la « période de la lune de miel », au cours de laquelle tout est vu comme faisant partie de cette existence centrale, celle du maître. On est quelqu'un d'inutile et d'insignifiant, continuellement nourri par cette grande existence centrale, qui fascine. Si on se sent faible ou fatigué, si on s'ennuie, on va au cinéma et on s'amuse, on reprend le goût de vivre et on en sort rajeuni. C'est à ce stade que prédomine le phénomène du culte de la personnalité. Le maître est la seule personne au monde qui existe, vivante et vibrante. Tout le sens de notre vie dépend de lui. Si l'on meurt, on meurt pour lui. Si l'on vit, on survit pour lui, comme un être insignifiant.

Mais cette idylle avec l'ami spirituel ne peut pas durer éternellement. Tôt ou tard, elle perd de l'intensité et on se trouve confronté à sa propre situation existentielle, à sa propre psychologie. C'est comme la fin d'une lune de miel. On n'est plus seulement conscient que l'amant, ou la maîtresse, est au centre du champ de l'attention, on commence à remarquer sa façon de vivre. On remarque ce qui fait que l'ami est un maître, par-delà les limites de son individualité et de sa personnalité. Ainsi le principe de l' « universalité du maître » entre-t-il dans le paysage. Chaque problème que l'on rencontre dans la vie fait partie du mariage. A chaque fois que l'on a des difficultés, on entend les paroles du maître. C'est le moment où l'on commence à conquérir son indépendance vis-à-vis du maître en tant qu'amant, parce que chaque situation devient une expression des enseignements. On s'est d'abord abandonné à l'ami spirituel. Puis on a communiqué et joué avec lui. Et maintenant voici que l'on est complètement ouvert. Et, comme résultat de cette ouverture, on commence à voir la qualité du gourou dans chaque situation de la vie, à réaliser que toutes les situations offrent la possibilité d'être aussi ouvert qu'on l'est avec le maître, et dès lors toutes choses peuvent devenir le maître.

Milarepa eut une intense vision de son maître Marpa alors qu'il était en train de méditer dans une très stricte retraite, dans la vallée du Joyau de la Roche Rouge. Affaibli par la faim et assailli par les éléments, il s'était évanoui alors qu'il tentait de ramasser du bois pour le feu à côté de sa caverne. Lorsqu'il reprit conscience, il regarda vers l'est et vit des nuages blancs dans la direction où vivait Marpa. Plein de nostalgie, il entonna un chant de supplication, disant à Marpa combien il avait soif d'être avec lui. Alors Marpa apparut dans une vision, chevauchant un lion des neiges blanc, et lui dit en substance : « Qu'est-ce qui se passe? As-tu piqué une crise de nerfs, ou quoi? Tu comprends le dharma, alors continue à méditer. » Milarepa se sentit réconforté, et il rentra méditer dans sa grotte. Sa dépendance à l'égard de Marpa indique qu'il ne s'était pas encore libéré de la notion du maître comme ami personnel, individuel.

Mais lorsqu'il rentra dans sa caverne, Milarepa la trouva pleine de gnomes diaboliques, avec des yeux gros comme des soucoupes et des corps petits comme des pouces. Il essaya toutes sortes de stratagèmes pour obtenir qu'ils arrêtent de se moquer de lui et de le tourmenter, mais ils ne le laissèrent pas jusqu'à ce qu'il cesse ses propres jeux, jusqu'à ce qu'il reconnaisse sa propre hypocrisie et s'abandonne à l'ouverture. C'est à partir de ce moment que l'on remarque un extraordinaire changement de style dans les chants de Milarepa, parce qu'il avait appris à s'identifier au caractère universel du maître, et non plus seulement à Marpa comme un être individuel.

L'ami spirituel devient une partie de nous-même, autant qu'un être individuel, une personne extérieure. Comme tel, le maître, à la fois intérieur et extérieur, concourt activement à pénétrer et démasquer nos hypocrisies. Le maître peut être une personne réelle, qui agit comme un miroir, en nous réfléchissant, ou bien notre propre intelligence fondamentale, qui prend la forme de l'ami spirituel. Lorsque le maître intérieur commence à fonctionner, nous ne pouvons plus jamais échapper à la demande d'ouverture. L'intelligence fondamentale nous suit partout. Nous ne pouvons échapper à notre ombre : le « Grand Frère [1] » nous observe. Bien qu'aucune entité extérieure ne nous observe et ne nous hante, nous nous hantons nous-mêmes. Notre ombre nous observe.

Nous pouvons voir cela de deux façons. Nous pouvons voir le maître comme un fantôme, qui nous hante et se rit de notre hypocrisie. Il peut y avoir une dimension démoniaque dans la réalisation de ce que nous sommes. Et pourtant, la qualité créatrice de l'ami spirituel est toujours là, elle aussi devient une partie de nous-même. Dans les situations vitales, l'intelligence fondamentale est continûment présente. Elle est tellement aiguë et pénétrante que, atteint un certain point,

1. « Grand Frère » : allusion au Big Brother du *1984* de Georges Orwell, où l'État intériorisé dans la conscience des individus les surveille constamment *(NdT)*.

il est impossible de nous en débarrasser, même si nous le voulons. Elle est parfois sévère, parfois souriante. Dans la tradition tantrique, on dit que l'on ne voit pas le visage du maître, mais, sans cesse, son expression. Souriant, ironique, renfrogné, il est partie intégrante de toutes les situations de l'existence. L'intelligence fondamentale, *tathagata-garbha,* la nature-de-Bouddha, est présente dans chacune des expériences qu'apporte la vie. On ne peut y échapper. On dit encore dans les enseignements : « Mieux vaut ne pas commencer. Une fois que l'on a commencé, mieux vaut en finir. » Ainsi ferez-vous mieux de ne pas vous engager dans le sentier spirituel si vous n'en ressentez pas la nécessité. Une fois que vous avez fait le premier pas, que, réellement, vous avez mis le pied dans le sentier, vous ne pouvez plus reculer. Il n'y a plus moyen de fuir.

Q. Ayant promené ma bosse dans divers centres spirituels, je trouve qu'une personnalité comme celle de Marpa doit être extrêmement troublante pour la plupart des gens qui sont intoxiqués par leur recherche spirituelle. Voici un homme qui semble ne rien faire de ce qui est censé nous amener sur le sentier. Ce n'est pas un ascète, il n'a rien à faire de l'abnégation. Il prend soin de ses affaires quotidiennes. C'est un être humain normal et, apparemment, un maître fort capable. Marpa est-il le seul être à avoir été au bout des possibilités d'un homme normal sans être passé par les terribles duretés de l'ascétisme et de la discipline de la purification?

R. Bien sûr, Marpa est un bon exemple des possibilités qui nous sont offertes. Cependant, il a réellement fait l'expérience d'une formidable discipline et d'un entraînement astreignant, alors qu'il était en Inde. En étudiant sans faiblir sous la férule des maîtres indiens, il a préparé son chemin propre. Mais je crois qu'il nous faut comprendre la véritable signification des mots « discipline » et « ascétisme ». L'idée fondamentale de l'ascétisme, mener une vie accordée au dharma, est d'être radicalement sain. S'il est sain pour vous de mener une vie ordinaire, c'est le dharma. Alors que vous découvrez peut-être que la vie ascétique d'un yogin, telle que la décrivent les textes, peut vous conduire aux antipodes de la santé. Cela dépend de chacun. Il s'agit de savoir ce qui est sain pour vous, quelle approche de la vie est réellement solide, profonde et stable. Bouddha, par exemple, n'était pas un religieux fanatique, essayant d'agir en accord avec un idéal élevé. Il abordait les gens ouvertement, simplement, et fort sagement. Sa sagesse provenait d'un sens commun transcendantal. Son enseignement était sain et ouvert.

Le problème vient, semble-t-il, de ce que les gens sont préoccupés par une contradiction entre le religieux et le profane. Ils ont le plus grand mal à concilier les soi-disant « hauts niveaux de conscience » avec la vie de tous les jours. Mais les catégories du haut et du bas, du religieux et du profane, ne sont pas réellement pertinentes, semble-t-il, dans une approche fondamentalement saine de la vie.

Marpa était simplement un homme ordinaire, concentré sur chaque détail de sa vie. Il n'a jamais essayé de devenir quelqu'un de spécial. Quand il perdait patience, il le faisait et donnait des coups. Tout simplement. Il ne jouait pas la comédie. Les fanatiques religieux, en revanche, tâchent toujours de se conformer à un modèle, qui prescrit comment tout doit être. Ils tentent de persuader les gens en les abordant d'une façon forcenée et résolue, comme si eux-mêmes étaient toute pureté et bonté. Mais, à mon avis, essayer de prouver que l'on est bon dénote quelque espèce de peur. Marpa, en revanche, n'avait rien à prouver. C'était simplement un individu ordinaire et solide, et, en même temps, quelqu'un de très illuminé. En fait, c'est le père de toute la lignée Kagyü. Tous les enseignements que nous étudions et pratiquons procèdent de lui.

Q. Il y a une expression Zen : « Au début les montagnes sont des montagnes et les rivières des rivières. Puis les montagnes ne sont plus des montagnes, ni les rivières des rivières. Mais, finalement, les montagnes sont à nouveau des montagnes, et les rivières sont à nouveau des rivières. » N'en sommes-nous pas tous au point où les montagnes ne sont pas des montagnes, ni les rivières des rivières? Pourtant, vous mettez l'accent sur l'ordinaire. N'avons-nous pas à traverser une période « non ordinaire » avant de pouvoir être réellement ordinaires?

R. Marpa fut très remué lorsque son fils fut tué, et l'un de ses disciples dit : « Vous nous disiez toujours que tout est illusion. Qu'en est-il de la mort de votre fils, n'est-ce pas une illusion? » Et Marpa répondit : « Certes, mais la mort de mon fils est une super-illusion. »

Lorsque nous faisons pour la première fois véritablement l'expérience de l'ordinaire, c'est quelque chose de très extraordinairement ordinaire, au point que l'on peut dire que les montagnes ne sont plus des montagnes, ni les rivières des rivières — parce que nous voyons les choses tellement ordinaires, tellement précises, tellement « comme elles sont ». Cette qualité extraordinaire provient de l'expérience de la découverte. Mais, par la suite, ce caractère super-ordinaire, cette précision, deviennent un événement quotidien, quelque chose que l'on vit en permanence, quelque chose de vraiment ordinaire, et l'on revient au point de départ : les montagnes sont des montagnes, et les rivières des rivières. Alors on peut se détendre.

Q. Comment quitter cette cuirasse? Comment s'ouvrir?

R. Il ne s'agit pas de savoir *comment* on le fait. Il n'y a pas de rite, de cérémonie, ou de « Sésame ouvre-toi ». Le premier obstacle est cette question même : « Comment? » Si l'on ne se pose pas de question, si l'on ne s'observe pas, on le fait, tout simplement. On ne se demande pas comment on va s'y prendre pour vomir, on vomit, c'est tout. On n'a pas le temps d'y penser; cela survient. Si l'on est très tendu, on aura extrêmement mal, et on ne sera pas réellement capable de vomir correctement. On essaiera de déglutir, de lutter contre le mal. Il faut apprendre à se détendre lorsqu'on est malade.

Q. Lorsque les situations de l'existence commencent à devenir notre gourou, la forme que prend la situation importe-t-elle? La situation dans laquelle on se trouve a-t-elle quelque importance?

R. Nous n'avons aucun choix. Tout ce qui arrive est une expression du maître. La situation peut être pénible ou inspirante, mais douleur et plaisir sont un dans cette ouverture consistant à voir la situation comme notre gourou.

3. *Tilopa le Guru*.

L'initiation

La plupart des gens qui sont venus étudier avec moi l'ont fait parce qu'ils avaient entendu parler de ma personne, de ma réputation comme professeur de méditation et lama tibétain. Mais combien seraient venus si nous nous étions rencontrés par hasard dans la rue ou au restaurant? Bien peu seraient incités par une telle rencontre accidentelle à étudier le bouddhisme et la méditation. En revanche, les gens semblent inspirés par le fait que je suis un maître en méditation qui vient du lointain Tibet, la onzième réincarnation du Trungpa Tülku.

Ainsi les gens viennent-ils chercher auprès de moi l'initiation, l'initiation aux enseignements bouddhistes et à la sangha, la communauté des méditants engagés sur le sentier. Mais qu'est-ce que cette initiation signifie réellement? Selon une longue et vaste tradition, la sagesse de la lignée bouddhiste se transmet d'une génération de méditants à la suivante, et l'initiation est en rapport avec cette transmission. Mais de quoi s'agit-il?

Il n'est pas superflu, je crois, d'être un peu cynique à cet égard. Les gens souhaitent recevoir l'initiation : ils voudraient faire partie du club, recevoir un titre, obtenir la sagesse. Personnellement, je ne souhaite pas jouer avec la faiblesse des autres, avec leur désir d'obtenir quelque chose d'extraordinaire. Il y a des gens pour acheter un tableau de Picasso simplement à cause de la signature. Ils paieront des millions sans chercher à savoir si ce qu'ils achètent vaut quelque chose du point de vue artistique. Ils achètent les références, le nom, ils acceptent la réputation et la rumeur publique comme garantie de mérite artistique. Une telle action ne dénote pas une intelligence forte.

Ou bien, on s'affiliera à un club, on se fera initier au sein d'une organisation particulière parce que l'on se sent affamé et sans valeur. Le groupe est gras et prospère, et l'on a besoin d'être nourri. On se fait donc nourrir, et l'on devient gras, comme prévu. Et alors? Qui se moque de qui? Est-ce que le maître, ou le gourou, s'abuse, et développe son ego? « J'ai un gros troupeau de disciples qui ont reçu l'initiation. » Ou bien se moque-t-il de ses étudiants, les portant à croire qu'ils sont devenus plus sages et plus spirituels simplement parce qu'ils sont entrés dans son organisation et ont reçu l'étiquette de moines, yogins ou quelque autre titre? On peut recevoir tellement de titres. Est-ce que ces références, ces noms nous apportent le moindre bénéfice réel? Vraiment? Une cérémonie d'une demi-heure n'a jamais conduit personne au prochain stade de l'illumination; regardons les choses en face. En ce qui me concerne, j'ai une foi et une dévotion immenses dans la lignée bouddhiste et dans le pouvoir des enseignements, mais pas dans un esprit simpliste.

Il nous faut approcher le domaine spirituel avec une intelligence ferme. Si nous venons écouter parler un maître, ne nous laissons pas emporter par sa réputation ou son charisme, mais faisons véritablement l'expérience de chaque mot de sa conférence, ou de chaque aspect de la technique de méditation qu'il enseigne. Nous devons avoir une relation claire et intelligente avec les enseignements et avec l'enseignant. Une telle intelligence n'a rien à voir avec l'émotion ou le romantisme, ni avec l'acceptation béate de références impressionnantes, et il ne s'agit pas non plus d'entrer dans un club qui nous enrichira.

Il n'est pas question de trouver un maître sage à qui nous pourrons acheter ou voler sa sagesse. La véritable initiation implique que l'on se comporte de façon honnête, droite et directe avec l'ami spirituel et avec soi-même. Aussi avons-nous à faire quelque effort pour nous exposer, nous et les illusions que nous nous créons. Nous avons à lâcher prise et à exposer notre ego, avec ses qualités brutes et rudes.

Le mot sanscrit pour « initiation » est *abhisheka,* qui signifie « asperger », « verser », « oindre ». Et s'il y a quelque chose qui coule, il faut bien un réceptacle pour recevoir l'écoulement. Si nous nous engageons réellement en nous ouvrant correctement, complètement, à notre ami spirituel, en devenant le réceptacle dans lequel peut couler la communication, alors lui aussi s'ouvrira et l'initiation surviendra. Voilà le sens d'abhisheka ou de la « rencontre des deux esprits », celui du maître et celui du disciple.

Une telle ouverture n'implique aucune flatterie, nous n'avons pas à plaire à notre ami spirituel, ni à faire impression sur lui. La situation ressemble à celle où un médecin, réalisant que vous allez mal, vous fait quitter votre logis, en employant la force si besoin est, et vous opère sans anesthésie. Peut-être trouvez-vous le traitement trop violent et douloureux, mais alors vous commencez à réaliser combien coûte la communication réelle — le contact avec la vie.

Les dons financiers à une cause spirituelle, les contributions sous forme de travaux physiques, les relations avec un maître particulier, rien de tout cela ne signifie nécessairement que nous nous engageons vraiment à être ouverts. Il est plus probable que ces types d'engagement nous servent simplement à prouver que nous avons rejoint le clan des « justes ». Le maître semble sage. Il sait ce qu'il fait et nous aimerions être de son côté, du côté sûr, du bon côté, pour garantir notre bien-être et notre succès. Mais une fois que nous nous sommes fixés à son côté, du côté de la santé, de la stabilité, de la sagesse, nous avons la surprise de découvrir que nous n'avons pas réussi le moins du monde à nous mettre en sécurité, parce que nous n'avons engagé que notre façade, notre visage, notre cuirasse. Nous ne nous sommes pas totalement engagés *nous-mêmes*.

Nous sommes alors forcés d'ouvrir ce qu'il y a derrière. Avec horreur, nous constatons qu'il nous est impossible de nous sauver. Nous sommes découverts dans l'acte de nous cacher derrière une façade, nous sommes exposés de tous côtés, la cuirasse rembourrée que nous portions est déchirée de toutes parts. Il n'y a plus aucun endroit où se cacher. Bon sang! Tout est découvert, notre prétention mesquine et notre égoïsme. Parvenus à ce point, nous réalisons sans doute que nos efforts maladroits pour rester masqués ont été sans effet d'un bout à l'autre.

Nous essayons encore de rationaliser cette situation douloureuse, cherchant encore un moyen de nous protéger, une explication quelconque à cette impasse qui puisse satisfaire notre ego. Nous tournons la chose en tout sens, et notre esprit est extrêmement occupé. L'ego est un véritable spécialiste, il est d'une écrasante efficacité dans l'entreprise de rationalisation. Lorsque nous nous croyons engagés dans le processus de l'avance, consistant à essayer de nous vider, nous nous retrouvons dans le mouvement du recul, cherchant à nous sécuriser et à nous rembourrer. Et la confusion continue et s'intensifie jusqu'à la découverte que nous sommes totalement perdus, que nous avons perdu notre assise, et qu'il n'y a plus ni commencement ni milieu ni fin tellement notre esprit est submergé par ses propres mécanismes de défense. Aussi la seule alternative semble-t-elle être d'abandonner et de laisser être. Nos bonnes idées et nos solutions astucieuses ne nous sont d'aucun secours, parce que nous sommes submergés par les idées; nous ne savons pas lesquelles choisir, lesquelles nous permettront le mieux de travailler sur nous-mêmes. Notre esprit est bourré à en éclater de suggestions extraordinaires et intelligentes, logiques et avisées. Mais il y en a trop, et nous ne savons plus que faire.

Aussi finissons-nous probablement par laisser tomber toutes ces complications, par faire un peu d'air et lâcher prise. C'est le moment où abhisheka – l'aspersion et l'écoulement – prend réellement place, parce que nous sommes ouverts, et que nous abandonnons réellement toute tentative de faire quelque chose, nous arrêtons toute notre bousculade et dissipons nos encombrements. Nous avons été finalement obligés de nous arrêter de la bonne façon, ce qui pour nous est quelque chose de tout à fait rare.

Nous avons tellement de différents mécanismes de défense façonnés par le savoir que nous avons reçu, les lectures que nous avons faites, les expériences que nous avons traversées, les rêves que nous avons eus.

Mais, en définitive, nous commençons à nous demander ce que signifie réellement la spiritualité. S'agit-il simplement d'essayer d'être religieux, pieux et bon? Ou bien est-ce tâcher d'en savoir plus que les autres, s'efforcer d'en apprendre plus sur le sens de la vie? Qu'est-ce, en fait, que la spiritualité? Les théories familières de notre Église et sa doctrine sont toujours disponibles, mais, de quelque façon, ce ne sont pas là les réponses que nous cherchons; elles sont par trop inefficaces, inapplicables. Aussi nous éloignons-nous des doctrines et des dogmes de la religion dans laquelle nous sommes nés.

Peut-être déciderons-nous que la spiritualité est quelque chose de très excitant et coloré. Il s'agit de nous explorer nous-mêmes dans la tradition de quelque secte ou religion différente et exotique. Nous adoptons un autre type de spiritualité, une autre façon d'être, nous tâchons de changer notre ton de voix, nos habitudes alimentaires, et notre comportement général. Mais, au bout d'un certain temps, de tels efforts conscients pour être spirituel commencent à nous paraître maladroits et évidents, trop familiers. Nous souhaiterions que ces modèles de comportement deviennent habituels, une seconde nature, mais, d'une façon ou d'une autre, ils ne deviennent pas complètement partie de nous-mêmes. Nous voudrions d'autant plus que ces modèles de comportement « illuminés » deviennent une composante naturelle de notre personnalité que la névrose est encore présente dans nos esprits. Nous nous demandons : « Si j'ai agi en accord avec les Écritures sacrées de telle et telle tradition, comment ceci peut-il m'arriver? C'est dû à mon état de confusion, bien sûr. Mais que vais-je faire maintenant? » La confusion se poursuit, en dépit de notre adhésion confiante aux Écritures. La névrose et l'insatisfaction sont toujours là. Rien ne s'enclenche réellement; nous ne sommes pas branchés sur les enseignements.

A ce stade, nous avons vraiment besoin de « la rencontre des deux esprits ». Sans abhisheka, nos efforts pour atteindre la vie spirituelle n'auront d'autre résultat qu'une énorme collection spirituelle plutôt qu'un réel abandon. Nous avons rassemblé plusieurs modèles de comportement, plusieurs façons de parler, de nous vêtir, de penser, des façons d'agir complètement différentes. Et tout cela est simplement une collection que nous essayons de nous imposer.

Abhisheka, la véritable initiation, naît de l'abandon. Nous nous ouvrons à la situation telle qu'elle est, et alors nous communiquons réellement avec le maître. De toute façon, le gourou est toujours là, avec nous, dans un état d'ouverture; et si nous nous ouvrons, si nous sommes prêts à abandonner nos collections, alors l'initiation prend place. Aucune cérémonie « sacrée » n'est nécessaire. En fait, considérer l'initiation comme « sacrée » relève probablement de la séduction par ce que Bouddha nommait « les filles de Mara ». Mara représente la tendance névrotique de l'esprit, l'état déséquilibré de l'être, et il envoie ses filles nous séduire. Lorsque les filles de Mara sont présentes à une initiation dans laquelle la rencontre des deux esprits intervient réellement, elles disent : « Tu te sens paisible? C'est parce que tu reçois une instruction spirituelle, parce qu'une chose spirituelle t'arrive, c'est sacré. » Leurs voix sont très douces, leur message est d'une merveilleuse beauté, et elles nous persuadent que cette communication, cette « rencontre des deux esprits », est quelque chose de très important. Alors nous commençons à donner naissance à de nouveaux modèles mentaux samsariques [1]. On retrouve là l'idée chrétienne du fruit défendu; c'est la tentation. Lorsque nous considérons abhisheka comme sacrée, la précision et l'acuité commencent immédiatement à s'évanouir, parce que nous avons entrepris de porter des jugements de valeur. Nous entendons les voix des filles de Mara qui nous félicitent d'avoir réussi à accomplir une chose aussi sainte. Elles dansent autour de nous et jouent de la musique pour soi-disant nous honorer en cette occasion cérémonielle.

En réalité, la rencontre de deux esprits prend place de façon très naturelle. Instructeur et disciple se rencontrent dans un état d'ouverture dans lequel ils réalisent tous deux que l'ouverture est la chose la plus insignifiante du monde. C'est complètement insignifiant, vraiment ordinaire, absolument rien. Lorsque nous sommes capables de nous voir et de voir le monde de cette façon, la transmission prend directement place. Dans la tradition tibétaine, cette façon de voir les choses est appelée « esprit ordinaire », *tamal-gyi-shépa.* C'est la chose la plus insignifiante de toutes, la complète ouverture, l'absence de quelque sorte de collection ou d'évaluation. Nous pourrions dire qu'une telle insignifiance est très signifiante, qu'un tel ordinaire est vraiment extraordinaire. Mais ce ne serait qu'une nouvelle tentative de séduction de la part des filles de Mara. En fin de compte, nous devons renoncer à essayer d'être quelque chose de spécial.

Q. Il semble que je ne puisse échapper aux efforts en vue de me sécuriser. Que dois-je faire?

1. Confus, névrosés *(NdT).*

R. Vous désirez tellement être en sécurité que l'idée d'essayer de *ne pas* vous sécuriser est devenue un jeu, une grosse plaisanterie, une façon de vous sécuriser. Vous êtes extrêmement occupé à vous observer, à vous observer vous observant, et à vous observer en train de vous observer vous observant. Et ça continue. C'est un phénomène tout à fait commun. Ce dont vous avez réellement besoin est d'arrêter complètement de vous préoccuper, de laisser tomber toute cette histoire. Les complications enchevêtrées, la mise au point d'un détecteur de mensonge extrêmement sensible et aussi d'un détecteur de mensonge pour tester le détecteur de mensonge, toutes ces structures compliquées doivent être balayées. Vous essayez de vous sécuriser et, une fois en sécurité, vous essayez de mettre cette sécurité en sécurité. De telles fortifications peuvent prendre l'extension d'un empire infini. Même si vous ne possédez qu'un petit fortin, la portée de son système de protection pourrait s'étendre à l'échelle de la planète entière. Si vous voulez réellement vous mettre complètement en sécurité, il n'y a littéralement pas de limite aux efforts que vous pouvez déployer.

Aussi vous est-il nécessaire à la fois de laisser tomber l'idée de sécurité, et de voir l'ironie de vos efforts pour vous sécuriser, l'ironie de cette structure enchevêtrée d'autodéfense. Vous devez abandonner l'observateur, et celui qui observe l'observateur. Pour y arriver, il faut laisser tomber le premier observateur, l'intention protectrice elle-même.

Q. Je ne sais pas quelle nationalité citer, mais si nous étions des Indiens, par exemple, nous parleriez-vous de cette façon? Je veux dire, est-ce parce que nous sommes Américains, et tellement occupés à *faire* des choses qu'il vous faut nous parler de cette manière? Si nous nous trouvions ne rien faire, seulement être assis, vous ne nous parleriez pas de cette façon.

R. Voilà une question fort intéressante. Je crois que le style dans lequel les enseignements sont présentés dépend du degré d'engagement du public dans la vitesse du matérialisme. L'Amérique a réalisé un niveau très sophistiqué de matérialisme physique. Cependant, la capacité d'être impliqué dans ce type de fébrilité n'est pas limitée aux Américains, elle est universelle, mondiale. Si l'Inde atteint les étapes du développement économique que l'Amérique a franchies, où les gens ont réalisé le matérialisme physique et en ont été déçus, les Indiens viendront écouter cette conférence. Mais je ne crois pas qu'aujourd'hui il y ait ailleurs qu'en Occident un public pour ce type de conférence, parce que ailleurs les gens ne sont pas encore assez fatigués de la précipitation du matérialisme physique. Ils sont encore en train d'économiser pour s'acheter des vélos avant de pouvoir songer aux automobiles.

4. *Cochon, Serpent et Coq.*

L'auto-illusion

L'auto-illusion est un problème constant lorsque l'on progresse le long d'un sentier spirituel. L'ego est toujours en train de vouloir réaliser la spiritualité. C'est un peu comme si l'on voulait assister à son propre enterrement. Par exemple, dans les premiers temps, il est possible que nous approchions notre ami spirituel en espérant recevoir de lui quelque chose de merveilleux. Cette approche est nommée la « chasse au maître ». Elle est traditionnellement comparée à la chasse au chevrotain. Le chasseur est à l'affût, tue l'animal et le dépouille de son musc. On peut appliquer cette stratégie au gourou et à la spiritualité, mais elle conduit à l'auto-illusion. Elle n'a rien à voir avec la réelle ouverture ou l'abandon.

On peut aussi supposer, à tort, que l'initiation est une transplantation, qu'elle consiste à transplanter le pouvoir spirituel des enseignements du cœur du maître dans le nôtre. Une telle mentalité considère les enseignements comme quelque chose qui nous est étranger. On recherche une opération analogue à une greffe cardiaque – sauf qu'ici il s'agirait plutôt de la tête. Un élément étranger à notre corps y est greffé. Il se peut que nous cherchions à évaluer l'objet à transplanter. Peut-être devons-nous nous débarrasser de notre vieille tête et la jeter à la poubelle. Nous avons besoin d'une meilleure tête, toute fraîche, plus intelligente, pleine de bonne matière grise. Nous sommes tellement préoccupés par le bénéfice à tirer de cette opération possible que nous oublions complètement le chirurgien qui doit la réaliser. Sommes-nous toujours en relation avec notre médecin? Est-il compétent? La tête que nous avons choisie est-elle réellement celle qu'il nous faut? Notre médecin traitant n'a-t-il pas quelque chose à dire sur notre choix? Peut-être notre corps rejettera-t-il cette nouvelle tête? Nous sommes tellement occupés à penser à ce que nous allons obtenir que nous ignorons tout de ce qui se passe réellement, de notre relation avec le médecin, de notre mal, et de ce qu'est véritablement cette nouvelle tête.

Cette approche du processus de l'initiation est tout à fait romantique et absolument pas pertinente. Aussi avons-nous besoin de quelqu'un qui se comporte personnellement avec nous en fonction de ce que nous sommes réellement, nous avons besoin d'une personne qui joue le rôle d'un miroir. A chaque fois que nous sommes engagés dans quelque type d'auto-illusion, il faut que l'ensemble du processus nous soit révélé, qu'il soit découvert. Il faut que nos attitudes avides nous soient exposées.

L'initiation réelle prend place en termes de « rencontre de deux esprits ». Il s'agit d'être ce que nous sommes réellement, et d'entretenir une relation avec l'ami spirituel tel qu'il (ou elle) est. Voilà la véritable situation dans laquelle peut survenir l'initiation, parce que l'idée de subir une opération qui nous transforme radicalement est complètement irréaliste. Personne ne peut changer absolument notre personnalité. Personne ne peut nous retourner du haut en bas et du dedans vers le dehors. Il faut utiliser le matériel existant, ce qui est déjà là. Il faut nous accepter tels que nous sommes, et non pas tels que nous voudrions être, c'est-à-dire abandonner l'auto-illusion et arrêter de prendre nos rêves pour des réalités. Il nous faut reconnaître et accepter l'ensemble de notre structure personnelle et des caractéristiques de notre personnalité, et c'est à partir de là que nous aurons une chance de trouver quelque inspiration.

A ce stade, si nous exprimons le souhait de coopérer avec notre médecin traitant en nous faisant admettre à l'hôpital, lui, de son côté, nous fournira une chambre, et tout le nécessaire. Ainsi, les deux parties créeront une situation de communication ouverte, ce qui est la signification fondamentale de la « rencontre des deux esprits ». Telle est la manière réelle d'unir la bénédiction, ou *adhishthana,* l'essence spirituelle du maître, à notre propre essence spirituelle. L'ami extérieur, le maître, s'ouvre, et comme nous aussi sommes ouverts, comme nous sommes « éveillés », la rencontre de deux éléments identiques se produit. Telle est la véritable signification d'abhisheka, l'initiation. Il ne s'agit pas d'entrer dans un club, de devenir membre du troupeau, un mouton marqué sur le derrière aux initiales de son propriétaire.

Aussi pouvons-nous maintenant examiner ce qui vient après abhisheka. Ayant fait l'expérience de la rencontre des deux esprits, nous avons établi une communication réelle avec notre ami spirituel. Non seulement nous nous sommes ouverts, mais nous avons fait l'expérience d'un éclair intuitif, d'une compréhension instantanée d'un fragment des enseignements. Le maître a créé la situation, nous avons fait l'expérience de l'éclair, et il semble que tout aille pour le mieux.

D'abord, nous sommes très excités, tout est merveilleux. Peut-être pendant plusieurs jours nous sentirons-nous très épanouis et grisés. Nous avons le sentiment d'avoir déjà atteint le niveau de la bouddhéité. Les préoccupations mondaines ont complètement cessé de nous importuner, nous jouons sur du velours, et nous faisons constamment l'expérience de la méditation instantanée. L'expérience de l'ouverture avec le maître ne cesse de se poursuivre. Tout cela est très banal. Parvenus à ce point, beaucoup de gens sentent peut-être qu'ils n'ont plus besoin de continuer à travailler avec leur ami spirituel, et il se peut qu'ils le quittent, qu'ils s'échappent. J'ai entendu de nombreuses relations de faits de ce genre survenant en Orient : des étudiants rencontrent leur maître, reçoivent une expérience d'illumination instantanée, et disparaissent. Ils essayent de préserver cette expérience, mais, comme le temps passe, il ne reste bientôt plus qu'un souvenir, des mots et des idées qu'ils ressassent.

Il est fort possible qu'après une telle expérience, notre première réaction soit de la consigner dans notre journal intime, expliquant avec des mots tout ce qui s'est passé. Nous essayons de nous ancrer dans l'expérience à travers nos écrits, en en parlant avec autrui, particulièrement avec des gens qui en ont été témoins.

Ou bien il se peut qu'une personne soit allée en Orient, qu'elle ait connu ce type d'expérience, et qu'elle revienne ensuite en Occident. Ses amis la trouveront peut-être énormément changée. Elle a peut-être l'air plus calme, plus sereine, plus sage. Beaucoup de gens lui demanderont de les aider et de les conseiller dans leurs problèmes personnels, lui demanderont son opinion sur leur expérience spirituelle. Au début, sa façon d'aider les autres sera authentique, elle reliera leurs problèmes à sa propre expérience en Orient, elle leur racontera de beaux récits sur ce qui lui est arrivé là-bas. Elle sera très inspirée.

Mais, dans ce type de situation, tôt ou tard quelque chose tend à se dégrader. Le souvenir de l'éclair intuitif dont la personne a fait l'expérience perd de son intensité. Il ne dure pas parce qu'elle le considère comme extérieur à elle-même. Elle pressent qu'elle a fait la soudaine expérience de l'état d'esprit éveillé, et range cette expérience dans la catégorie de la sainteté et de la spiritualité. Elle a placé très haut cette expérience, elle l'a communiquée ensuite au monde ordinaire et familier de son lieu d'origine, à ses ennemis et à ses amis, à ses parents et à ses proches, à tous les gens et à toutes les attaches qu'elle croit avoir transcendés et surmontés. Or, voici que l'expérience ne l'accompagne plus. Il n'en reste que le souvenir. Mais après avoir crié sur les toits cette expérience et cette connaissance, elle ne peut plus revenir en arrière et dire que tout cela était faux. Il n'en est pas question; ce serait trop humiliant. Bien plus, elle a encore foi dans l'expérience, elle croit que quelque chose de profond est réellement survenu. Mais malheureusement l'expérience n'est plus là pour avoir été utilisée et valorisée.

D'une façon générale, ce qui se produit est qu'une fois que nous nous sommes réellement ouverts, que nous avons « flashé », dans un second temps nous réalisons que nous sommes ouverts, et la valorisation de l'expérience intervient soudainement. « Oh, c'est fabuleux, il faut que je saisisse cela, il faut que je l'emprisonne et que je le garde parce que c'est une expérience très rare et très valable. » Aussi essayons-nous de nous accrocher à l'expérience, et c'est là que les problèmes commencent, lorsque nous considérons que l'expérience réelle de l'ouverture a quelque valeur. Dès que nous essayons d'emprisonner l'expérience, toute une série de réactions en chaîne se met en branle.

Si nous valorisons quelque chose, si nous considérons que c'est extraordinaire, alors cette chose se sépare complètement de nous. Par exemple, nous ne considérons pas que nos yeux, nos mains ou notre tête soient particulièrement précieux puisque nous savons qu'ils font partie de nous. Mais que nous perdions une quelconque partie de notre corps, et automatiquement nous considérerons que nous avons perdu quelque chose d'extrêmement précieux. « J'ai perdu la tête, un bras, c'est irremplaçable! » C'est alors que nous en réalisons la valeur. C'est lorsque quelque chose nous est ôté que nous avons la possibilité d'en apprécier la valeur. Mais lorsque nous avons constamment cette chose avec nous, qu'elle fait partie de notre structure globale, nous n'y faisons pas particulièrement attention; c'est là, tout simplement. La valorisation provient de la peur de la séparation, qui est précisément ce qui nous tient séparés. Nous considérons qu'une inspiration subite est extraordinairement importante parce que nous avons peur de la perdre. Ce point, ce moment précis, est celui où survient l'auto-illusion. En d'autres termes, nous perdons foi dans l'expérience de l'ouverture et dans la relation qu'elle entretient avec nous.

D'une façon ou d'une autre, nous avons perdu l'unité de l'ouverture et de ce que nous sommes. L'ouverture est devenue une chose séparée, et nous avons commencé à jouer. Il est évident que nous ne pouvons pas dire que nous avons perdu l'ouverture. « Elle était là, mais je l'ai perdue. » Nous ne pouvons pas dire cela, parce que cela détruirait notre statut d'être accompli. Aussi, le rôle de l'auto-illusion est-il de refaire l'histoire. Nous préférons raconter des histoires plutôt que de faire véritablement l'expérience de l'ouverture, parce que les histoires sont très vivantes et plaisantes. « Lorsque j'étais avec mon gourou, ceci et cela est arrivé; il a dit ceci et cela, et il m'a ouvert de telle et telle façon, etc. » Ainsi l'auto-illusion, dans ce cas, consiste-t-elle à essayer sans cesse de recréer une expérience dans le moment présent. Pour faire l'expérience maintenant, il nous faudrait abandonner la valorisation de ce merveilleux éclair que le souvenir maintient à distance. Si nous en avions continuellement l'expérience, il semblerait tout à fait ordinaire et c'est précisément ce caractère ordinaire que nous ne pouvons accepter. « Si seulement je pouvais faire à nouveau cette merveilleuse expérience de l'ouverture! » Ainsi, nous en souvenant, nous maintenons-nous occupés à ne pas la recevoir. C'est le jeu de l'auto-illusion.

L'auto-illusion a besoin de la notion de valeur et de l'existence d'une très longue mémoire. A y repenser, nous voilà nostalgiques, nos souvenirs nous talonnent, mais nous ne savons pas où nous sommes à ce moment précis. Nous nous remémorons le « bon temps », le « bon vieux temps ». Nous ne laissons pas le moins du monde sortir notre dépression, nous ne voulons pas accepter de soupçonner que nous sommes déconnectés de quelque chose. A chaque fois que survient le risque de dépression et que le sentiment de perte est proche d'apparaître, la nature défensive de l'ego apporte immédiatement à l'esprit des souvenirs et des mots entendus dans le passé pour nous réconforter. Ainsi l'ego est-il continuellement à la recherche d'une inspiration déracinée du présent; il court toujours à reculons. Tel est le subtil mécanisme de l'auto-illusion : on ne laisse pas du tout la dépression venir à l'être. « Puisque j'ai reçu de telles bénédictions, et que j'ai eu la bonne fortune de connaître ces merveilleuses expériences spirituelles, comment pourrais-je raisonnablement dire que je suis déprimé? C'est impossible, il n'y a pas de place pour la dépression. »

L'histoire raconte que lorsque le grand maître tibétain Marpa rencontra pour la première fois son propre maître, Naropa, celui-ci créa un autel qui, disait-il, était l'incarnation de la sagesse d'un *heruka* [1] particulier. Aussi bien Naropa que l'autel étaient emplis d'une énergie et d'un pouvoir spirituel immenses, et Naropa demanda à Marpa devant lequel des deux il se prosternerait pour faire l'expérience de la réalisation soudaine de l'illumination. Marpa, qui était un savant, considérait que le gourou vivait dans un corps humain ordinaire, fait de chair, tandis que sa création, l'autel, était un pur corps de sagesse qui n'avait rien à voir avec l'imperfection humaine. Aussi Marpa se prosterna-t-il devant l'autel. Alors, Naropa lui dit : « J'ai bien peur que ton inspiration disparaisse. Tu as choisi la mauvaise solution. Cet autel est ma création, et sans moi il ne serait même pas ici. La question du corps humain opposé au corps de sagesse est déplacée. La grande manifestation du mandala était de mon cru. »

Cette histoire illustre le principe du rêve, de l'espoir, du désir comme auto-illusion. Aussi longtemps que nous nous considérons, ou que nous considérons une partie de notre expérience, comme la vérification d'un rêve, nous sommes engagés dans l'auto-illusion. L'auto-illusion semble toujours dépendre du monde du rêve, parce que l'on aimerait voir ce

1. Principe d'énergie *(NdT)*.

que l'on n'a pas encore vu plutôt que ce que l'on est en train de voir présentement. Nous ne voulons pas accepter le fait que ce qui est ici et maintenant *est* ce qui est, pas plus que nous ne voulons continuer dans la situation telle qu'elle est. Ainsi, l'auto-illusion se manifeste-t-elle toujours dans les termes d'une tentative de créer ou recréer un monde de rêve, la nostalgie de l'expérience du rêve. Et l'inverse de l'auto-illusion est justement de travailler avec les faits de la vie.

Si l'on recherche un type de félicité ou de joie, la réalisation d'un rêve, alors on est condamné à souffrir également des échecs et de la dépression. C'est toute la question : une peur de la séparation, l'espoir d'atteindre l'union, il ne s'agit pas seulement des manifestations ou des actions de l'ego ou de l'auto-illusion, comme si l'ego était, d'une certaine manière, une chose réelle qui posait certains actes. L'ego *est* les actes, les événements mentaux. L'ego *est* la peur de perdre l'ouverture, la peur de perdre l'état sans ego. Voilà le sens de l'auto-illusion, dans ce cas – l'ego pleure la perte de l'état sans ego, de son rêve de réalisation. La peur, l'espoir, la perte, le gain – voilà quelle est l'action qui se déroule dans le rêve de l'ego, dans la structure qu'est l'auto-illusion – structure qui se maintient et se perpétue elle-même.

Aussi, l'expérience réelle, au-delà du monde du rêve, est-elle la beauté, la couleur, l'excitation de l'expérience réelle de *maintenant* dans la vie quotidienne. Lorsque nous regardons les choses comme elles sont, nous abandonnons l'espoir de quelque chose de meilleur. Il n'y aura pas de miracle parce que nous ne pouvons nous dire à nous-mêmes de sortir de la dépression. La dépression et l'ignorance, les émotions, quoi que ce soit dont nous fassions l'expérience, tout cela est bien réel et contient une vérité formidable : il nous faut être là où nous sommes. Il faut être un grain de sable; tout est là.

Q. Pourriez-vous nous dire encore quelques mots sur les mécanismes de cette force du désespoir? J'arrive à comprendre pourquoi il arrive que survienne le désespoir, mais pourquoi la félicité survient-elle?

R. Au début, il est possible de se forcer à entrer dans l'expérience de la félicité. C'est une sorte d'auto-hypnose, dans laquelle on refuse de voir l'arrière-plan de ce que l'on est. On se concentre seulement sur l'expérience immédiate de la joie. On ignore tout le terrain fondamental, là où l'on est vraiment, et l'on parvient à l'expérience d'une formidable joie. Le problème est que cette expérience se fonde purement et simplement sur l'observation de soi-même. C'est une approche complètement dualiste. On désire faire une expérience, et, à force d'efforts, on la réalise. Cependant, une fois que l'on remet les pieds sur terre, une fois que l'on réalise que l'on est encore ici, comme un récif noir debout au milieu d'un océan de vagues, la dépression s'installe. On voudrait être ivre, défoncé, éclaté dans le cosmos entier, mais, en quelque sorte, cela n'arrive pas. On est toujours là, et c'est toujours ce qui nous fait redescendre. Ensuite commencent les autres jeux de l'auto-illusion, on essaie de continuer à s'alimenter, parce que l'on cherche à se protéger complètement. C'est le principe de l'« observateur ».

Q. Vous dites que les gens font l'expérience de quelque chose et qu'ensuite ils saisissent intellectuellement cette expérience, et la catégorisent, « c'est fantastique ». Il semble que ce soit presque une réaction automatique. Pourriez-vous nous donner quelques détails sur la façon dont on peut commencer à se débarrasser de ce réflexe? Il me semble que plus on essaie de cesser de porter des jugements de valeur et plus on en porte.

R. Eh bien, une fois que l'on réalise que l'on fait vraiment cela, et que l'on n'en tire rien, alors je crois que l'on commence à en sortir. On commence à voir l'ensemble du processus comme partie d'un énorme jeu qui n'est pas réellement profitable, parce que l'on n'arrête pas d'échafauder au lieu d'en venir à une véritable compréhension de quoi que ce soit. Il n'y a pas d'opération magique. Tout ce que l'on a à faire est de se démasquer, si pénible que cela soit.

Peut-être continuerez-vous à construire sans relâche jusqu'à ce que vous réalisiez la futilité d'essayer de bâtir la spiritualité. Tout votre esprit se trouvera peut-être complètement encombré par ce combat. En fait, il se peut que vous ne sachiez même plus si vous allez ou venez, jusqu'à ce que vous atteigniez l'épuisement complet. Alors, sans doute, recevrez-vous une leçon fort utile : abandonner tout cela, n'être rien. Peut-être même ferez-vous l'expérience du désir ardent de n'être rien. Il semble qu'il y ait deux solutions : ou bien simplement jeter bas les masques, ou bien continuer à construire sans relâche, à s'efforcer sans trêve, jusqu'à atteindre un sommet, et là, tout laisser tomber.

Q. Qu'arrive-t-il lorsque l'on se dit : « Ça y est, j'ai réalisé. » Cela ne casse pas toute l'expérience, n'est-ce pas?

R. Pas nécessairement. Mais ensuite, que se passe-t-il? Souhaitez-vous répéter indéfiniment votre expérience, plutôt que d'œuvrer sur l'ensemble de la situation, telle qu'elle est? On peut faire l'expérience d'une joie sans limites, lors du premier éclair de l'ouverture, ce qui est merveilleux. Mais ce qui vient après est important : s'efforce-t-on de saisir et de recréer cette expérience, ou bien la laisse-t-on être, permettant à l'expérience d'être simplement une expérience, sans essayer de répéter le premier éclair?

Q. On est ambitieux, on construit sans cesse et plus on y pense, pire ça devient. Alors, on essaie d'échapper à tout le processus, de ne pas y penser, de se perdre dans toutes sortes de voies de sortie. Qu'est-ce que cela signifie, et comment peut-on surmonter cette réalité, à savoir que plus on pense à l'illumination, et plus on tâche de la comprendre, plus les choses empirent et plus les conceptualisations s'accumulent? Que faire?

R. C'est évident. Arrêter de chercher quoi que ce soit, arrêter d'essayer de découvrir quoi que ce soit, d'essayer de se vérifier.

Q. Mais on a parfois le sentiment que l'on fuit activement, et ce n'est pas la même chose que de ne rien faire du tout.

R. Une fois que l'on essaie de s'échapper, on réalise que l'on n'est pas seulement poursuivi par-derrière, mais aussi assailli par-devant. Il arrive un moment où l'on ne peut plus bouger. On est complètement pris au piège. Alors, la seule chose à faire est, simplement, de s'abandonner.

Q. Qu'est-ce que cela signifie?

R. Il faut en faire l'expérience soi-même. Je veux dire, arrêter d'essayer d'aller quelque part, qu'il s'agisse de s'échapper, ou de se précipiter, parce que c'est la même chose.

Q. Le fait de se souvenir ou de s'observer est-il incompatible avec le fait de lâcher prise et d'être ici?

R. Le souvenir de soi est une très dangereuse technique, à vrai dire. Il peut impliquer que l'on s'observe, et que l'on observe ses actes, comme un chat affamé guette une souris, ou bien il peut s'agir d'une façon intelligente d'être là où l'on est. L'essentiel est que si l'on a la moindre idée d'une relation — j'ai telle expérience, je fais ceci — alors « je » et « ceci » sont deux personnalités extrêmement fortes, sur un pied d'égalité. Il y aura, de quelque façon, un conflit entre « je » et « ceci ». On pourrait dire que « ceci » est la mère et « je » le père.

Lorsque deux éléments polaires extrêmes sont impliqués de la sorte, il est à prévoir que l'on donne naissance à quelque chose. Aussi toute l'idée est-elle de laisser « ceci » ne pas être là, et dès lors « je » disparaîtra aussi du tableau. Ou bien « je » n'est pas là, et donc « ceci » disparaît. Il ne s'agit pas de se le dire, mais de le sentir, d'en faire réellement l'expérience. Il nous faut supprimer l'observateur, le contemplateur des deux extrêmes. Une fois que l'on en a fini avec l'observateur, l'ensemble de la structure se désintègre. La dichotomie ne se maintient en existence qu'aussi longtemps qu'il y a un observateur pour créer le tableau. Supprimons donc l'observateur, et la bureaucratie hyper-complexe qu'il entretient pour s'assurer que l'état-major recueille bien toutes les informations. Une fois qu'il n'y a plus d'observateur, un espace immense est dégagé, celui qu'il occupait, avec tout son appareil bureaucratique. Si l'on élimine le filtre du « je » et de l' « autre », l'espace devient aigu, précis et intelligent. L'espace contient avec une précision fabuleuse la possibilité d'œuvrer sur les situations qu'il englobe. On n'a vraiment pas besoin d'un « observateur ».

Q. Est-ce que cet observateur doit son existence au fait que l'on veut vivre à ce qui semble être un niveau supérieur, alors que si on lâche prise, on sera peut-être *ici?*

R. Oui, c'est vrai. Lorsque l'observateur disparaît, la notion de niveaux supérieurs et inférieurs n'est plus pertinente, et il n'y a plus aucune inclination à combattre, ni aucun essai de monter plus haut. On est là où l'on est.

Q. Peut-on supprimer l'observateur par la force? Est-ce que ce ne serait pas encore le jeu de la valorisation?

R. On n'a pas à considérer que l'observateur est un galopin, une fripouille. Une fois que l'on commence à comprendre que le propos de la méditation n'est pas de s'élever mais d'être présent, ici, alors l'observateur n'est pas assez efficace pour remplir cette fonction, et il disparaît automatiquement. La caractéristique fondamentale de l'observateur est qu'il essaie d'être extrêmement efficace et actif. Mais l'éveil total est quelque chose que l'on a déjà, aussi bien les efforts ambitieux ou soi-disant « efficaces » pour s'éveiller sont-ils voués à l'échec. Lorsque l'observateur réalise qu'il n'a plus sa place, il disparaît.

Q. Peut-il y avoir éveil sans observateur?

R. Oui, parce que l'observateur est seulement une paranoïa. On peut être complètement ouvert, avoir une vision panoramique, sans avoir à distinguer entre deux parties, « je » et « autre ».

Q. Est-ce que cet éveil implique le sentiment de félicité?

R. Je ne le crois pas, parce que la félicité est une expérience très individuelle. On est séparé et l'on fait l'expérience de sa félicité. Lorsque l'observateur est parti, il n'y a plus de jugement sur l'expérience en termes de plaisir ou de douleur. Lorsque l'on est totalement éveillé, sans qu'intervienne de valorisation de la part de l'observateur, de ce fait même, il n'y a personne pour en faire l'expérience, et la félicité n'est plus pertinente.

La voie dure

Dans la mesure où personne ne va faire notre salut, où personne ne va nous illuminer magiquement, le sentier dont nous parlons est dit « voie dure ». Le chemin ne correspond pas à notre attente, selon laquelle l'engagement dans les enseignements bouddhistes doit être doux, paisible, agréable, compatissant. C'est la voie dure, une simple rencontre de deux esprits; si l'on ouvre son esprit, si l'on est prêt à se rencontrer, le maître ouvre également son esprit. Il n'y a aucun miracle : la condition de l'ouverture est une création mutuelle.

Généralement, lorsque l'on parle de liberté, de libération ou de connaissance spirituelle on croit que pour en arriver là il faut ne rien faire, et que quelqu'un d'autre va prendre soin de nous. « Tout va bien, ne t'en fais pas, ne pleure pas, tout va aller bien. Je m'occupe de toi. » On a tendance à croire que tout ce que l'on a à faire est de s'engager dans l'organisation, de payer sa cotisation, de signer au bas du formulaire d'inscription, et puis de suivre les instructions qui nous sont données. « Je suis fermement convaincu que votre organisation est valable. Elle répond à toutes les questions que je me pose. Programmez-moi comme vous l'entendez. Si vous voulez me mettre en difficulté, faites-le. Je laisse tout à votre discrétion. » Cette attitude nous fournit le confort qui consiste à n'avoir rien d'autre à faire qu'exécuter des ordres. On confie tout à autrui, on lui laisse le soin d'éduquer et de soulager nos limitations. L'idée que l'on n'a rien à faire par soi-même est un rêve en couleurs.

Cela prend un effort immense de se frayer un passage à travers les difficultés du sentier, et d'entrer réellement dans les situations de l'existence, complètement et justement. Aussi, l'essentiel dans la voie dure semble être qu'il faille bien que le disciple fasse l'effort individuel de se reconnaître, d'en passer par le processus consistant à se démasquer. Il faut être décidé à se tenir seul, ce qui est difficile.

Cela ne signifie pas pour autant que l'accent soit mis, dans la voie dure, sur l'héroïsme. L'attitude « héroïque » est fondée sur la supposition que nous sommes mauvais, impurs, sans valeur, et incapables de connaissance spirituelle. Alors on veut se réformer, devenir différent de ce que l'on est. Par exemple, si l'on est de la petite bourgeoisie, on laisse tomber son travail ou ses études, on quitte sa vie de banlieusard, on se laisse pousser les cheveux, on prend des drogues, peut-être. Si l'on est un hippie, on arrête de prendre des drogues, on se coupe les cheveux, on jette au feu son jeans usé. On se croit spécial, héroïque, parce que l'on se détourne de la tentation. On devient végétarien, on devient ceci ou cela. Il y a tellement de choses que l'on peut devenir. On se croit engagé sur un sentier spirituel parce que l'on est littéralement à contre-courant de ce que l'on avait l'habitude d'être, mais c'est là un faux héroïsme, et le seul héros dans cette histoire est l'ego.

On peut porter ce type de faux héroïsme à de grands extrêmes, se placer dans des situations complètement austères. Si les enseignements que l'on suit recommandent de se tenir sur la tête durant vingt-quatre heures, on le fait. On se purifie, on se mortifie, et l'on se sent vraiment propre, réformé, vertueux. Peut-être que sur le moment, tout a l'air d'aller bien.

Il se peut que l'on essaye d'imiter certaines voies spirituelles, que ce soit celle des Indiens d'Amérique, des yogins de l'Inde, ou des bouddhistes Zen du Japon. On abandonne veston et cravate, ceinture, pantalon et chaussures pour tâcher de suivre leur exemple. Ou bien, l'on décide d'aller dans le Nord de l'Inde rendre visite aux Tibétains. Peut-être portera-t-on des vêtements tibétains, adoptera-t-on les coutumes tibétaines. Cela paraîtra une « voie dure », parce que l'on rencontrera toujours des obstacles et des tentations pour distraire du programme.

Assis dans un ashram indien, on n'a pas mangé de chocolat depuis six ou sept mois, aussi rêve-t-on de chocolat, ou d'autres nourritures que l'on aime. Peut-être a-t-on la nostalgie de Noël ou du Nouvel An. Mais on croit avoir trouvé la voie de la discipline. On s'est affronté aux difficultés de cette voie, et l'on est devenu compétent, maître ès discipline, en quelque sorte. On s'attend à ce que la magie et la sagesse de l'entraînement et de la pratique conduisent à l'état d'esprit souhaitable. Quelquefois, on croit avoir atteint le but. Parfois on plane complètement ou l'on reste absorbé durant une période de six ou sept mois. Plus tard, notre extase s'évanouit. Et ainsi, ça va et ça vient. Que faire de cette situation? Il se peut que nous arrivions à rester dans un état d'épanouissement ou de félicité durant un temps très long, mais il faut bien un jour revenir ou redescendre ou retourner à la normale.

Je ne prétends pas que des traditions étrangères ou des disciplines ne soient pas applicables au sentier spirituel. Je dis plutôt que l'on croit qu'il doit bien exister un remède ou une potion magique qui aide à atteindre le bon état d'esprit. Cela équivaut à aborder le problème à l'envers. On espère, en manipulant la matière, le monde physique, atteindre la sagesse et la connaissance. Peut-être même imagine-t-on que des savants, des experts, vont le faire pour vous. Qu'ils vont vous mettre dans un hôpital, administrer des drogues adéquates, et vous hausser à un niveau élevé de conscience. Mais malheureusement je crois bien que c'est impossible; on ne peut échapper à ce que l'on est, on le transporte partout et tout le temps avec soi.

Aussi, en revenons-nous à ceci : quelque type de don ou de sacrifice *réel* est requis si nous devons nous ouvrir complètement. Le don peut prendre n'importe quelle forme. Mais pour prendre sens, il exige que l'on abandonne l'espoir d'obtenir quelque chose en retour. Peu importent les titres, ou le nombre de costumes et parures exotiques qu'on a usés, et le nombre de doctrines philosophiques, d'engagements et de cérémonies sacramentelles auxquels on a pris part. Il faut abandonner l'espoir de recevoir quelque chose en retour du cadeau. Telle est, réellement, la voie dure.

Peut-être avons-nous fait un merveilleux voyage au Japon. Nous avons apprécié la culture japonaise, les magnifiques temples Zen, les délicates œuvres d'art. Et non seulement ces expériences ont été belles, mais elles nous ont aussi dit quelque chose. Cette culture est la création de tout un style de vie complètement différent de celui du monde occidental, et ces créations se sont adressées à nous. Mais jusqu'à quel point cette culture et ces images exquises, ces admirables formes extérieures nous secouent-elles, nous touchent-elles réellement? Nous ne le savons pas. Tout ce que nous souhaitons est de savourer nos beaux souvenirs. Nous ne souhaitons pas questionner de trop près nos expériences. C'est une zone délicate.

Ou peut-être un certain maître nous a-t-il initié lors d'une cérémonie très émouvante et pleine de sens. Cette cérémonie était bien réelle, directe et belle, mais quelle part de l'expérience sommes-nous prêts à questionner? C'est un domaine trop privé, trop sensible. Nous préférons thésauriser, préserver le goût et la beauté de l'expérience, de telle sorte que, lorsque viennent les mauvais jours, lorsque nous sommes déprimés et cafardeux, il soit possible de rappeler ces souvenirs afin de nous réconforter, de nous dire que vraiment ce que nous avons fait valait quelque chose, que, oui, nous sommes sur le sentier. Cela ne semble pas le moins du monde être la voie dure.

Au contraire, il semble bien que nous ayons amassé plutôt que donné. Si nous reconsidérons nos emplettes spirituelles, pouvons-nous nous rappeler une occasion où nous avons donné quelque chose de façon complète et juste, où nous nous sommes ouverts et où nous avons tout donné? Nous sommes-nous jamais démasqués, nous sommes-nous jamais défaits de notre cuirasse, de notre chemise, de notre peau, de notre chair et de nos veines, jusqu'à en arriver au cœur? Avons-nous réellement fait l'expérience de la nudité, de l'ouverture et du don? C'est la question fondamentale. Il nous faut réellement lâcher prise, donner quelque chose, abandonner quelque chose, et c'est très douloureux. Il nous faut commencer à démanteler la structure fondamentale de cet ego que nous avons réussi à créer. Le processus du démantèlement, de l'ouverture, de l'abandon est le véritable processus d'apprentissage. Quelle part de cet ongle incarné qui tenaille notre chair avons-nous décidé d'ôter? Il est fort vraisemblable que nous avons réussi à ne rien abandonner du tout. Tout ce que nous avons fait est rassembler, construire, ajouter couche après couche. Aussi le propos de la voie dure est-il fort effrayant.

Le problème est que nous cherchons une réponse facile et indolore. Mais ce type de solution est inopérant dans le sentier spirituel, dans lequel nous n'aurions peut-être pas dû nous engager. Mais une fois que nous y sommes, c'est dur, c'est douloureux, et nous allons en baver. Nous nous sommes engagés dans la souffrance consistant à nous exposer, à nous déshabiller, à donner notre peau, nos nerfs, notre cœur, notre cerveau, jusqu'à ce que nous soyons offerts à l'univers. Rien ne doit rester. Ce sera terrible, crucifiant, mais c'est comme ça.

Nous nous trouvons en quelque sorte en compagnie d'un étrange chirurgien. Il va nous opérer, mais sans anesthésie, car il veut réellement communiquer avec notre mal. Il ne va pas nous permettre d'enfiler notre façade de spiritualité, de sophistication psychologique, de faux mal psychique, ou tout autre masque. Nous préférerions ne jamais l'avoir rencontré. Nous aimerions savoir nous anesthésier. Mais maintenant, nous allons manger de la vache enragée. Il n'y a pas moyen d'en sortir. Non pas qu'il soit si puissant. Nous pourrions lui dire adieu et prendre la porte en deux minutes. Mais nous nous sommes tellement confiés à lui que, s'il faut tout recommencer, ce sera très dur. Aussi nous faut-il maintenant aller jusqu'au bout.

C'est très inconfortable pour nous d'être avec le médecin car nous essayons continuellement de nous jouer de lui, bien que nous sachions qu'il voit notre jeu. Cette opération est sa seule façon de communiquer avec nous, aussi devons-nous l'accepter; nous devons nous ouvrir à la voie dure, à cette opération. Plus nous posons de questions — « Qu'allez-vous me faire? » — et plus nous devenons embarrassés, car nous savons ce que nous sommes. C'est un sentier extrêmement étroit, sans possibilité de fuite, un sentier de douleur. Nous devons nous abandonner complètement et communiquer avec ce chirurgien. Bien plus, il nous faut dévoiler notre attente d'un miracle de la part du maître qui, grâce à ses pouvoirs magiques, va nous initier à certains états extraordinaires et indolores. Il nous faut abandonner l'attente d'une opération sans douleur, abandonner l'espoir qu'il va se servir d'un anesthésiant ou d'un sédatif, de telle sorte que, lorsque nous nous réveillerons, tout sera parfait. Il nous faut vouloir communiquer de façon complètement ouverte et directe avec notre ami spirituel et avec notre vie, sans laisser de zones d'ombre. La voie dure est pénible et douloureuse.

Q. L'ouverture est-elle quelque chose qui arrive simplement, ou bien y a-t-il une façon de le faire, une façon de s'ouvrir?

R. Je crois que vous êtes déjà impliqués dans le processus d'ouverture et que moins vous essayez de vous ouvrir plus ce processus devient évident. Je dirais que c'est un acte automatique plutôt que quelque chose que vous avez à faire. Au début, lorsque nous avons parlé de l'abandon, j'ai dit qu'une fois que vous avez tout exposé à l'ami spirituel, il n'y a plus rien à faire. Il s'agit simplement d'accepter ce qui est, ce que nous avons d'ailleurs toujours tendance à faire. Nous nous trouvons souvent dans des situations où nous sommes complètement nus, et nous souhaiterions pouvoir vêtir notre nudité. Ce type de situation embarrassante se rencontre toujours dans la vie.

Q. Nous faut-il un ami spirituel pour être à même de nous ouvrir, ou bien pouvons-nous simplement nous ouvrir aux situations de la vie?

R. Je crois qu'il faut que quelqu'un vous voie le faire parce que alors cela vous paraîtra plus réel. Il est facile de se déshabiller lorsque l'on est seul dans une chambre, et plus difficile de le faire dans une pièce pleine de gens.

Q. S'agit-il alors réellement de nous ouvrir à nous-mêmes?

R. Oui. Mais nous ne le voyons pas ainsi. Nous sommes fortement conscients du public parce que nous prenons tellement conscience de nous-mêmes.

Q. Je ne comprends pas pourquoi l'ascétisme et la discipline ne sont pas la « véritable » voie dure.

R. Vous vous illusionnez vous-même, vous croyez que vous êtes engagé dans la voie dure, alors qu'en fait vous n'y êtes pas. Vous êtes comme l'acteur d'un drame héroïque. L'expérience de l'héroïsme implique tout à fait la « voie douce », alors que la voie dure est beaucoup plus personnelle. Ayant marché sur la voie de l'héroïsme, vous avez encore à connaître la voie dure, ce qui est une découverte très pénible.

Q. Faut-il d'abord s'engager dans la voie héroïque, et persévérer dans cette voie si l'on veut pénétrer la véritable voie dure?

R. Je ne le crois pas. Et c'est justement ce que je tente de souligner. Si vous vous engagez sur la voie héroïque, vous ajoutez des épaisseurs à la cuirasse de la personnalité, parce que vous croyez avoir réalisé quelque chose. Plus tard, à votre grande surprise, vous découvrez qu'il faut autre chose. Il faut *enlever* les épaisseurs, les peaux.

Q. Vous parlez de la nécessité de faire l'expérience d'une douleur crucifiante. Est-ce que le fait d'avoir une compréhension juste du processus de déshabillage rend superflue cette nécessité d'en passer par la souffrance?

R. Voilà une proposition vraiment astucieuse. Mais la compréhension ne signifie pas l'expérience réelle. On comprend, c'est tout. Ce n'est pas du tout la même chose de comprendre le processus physiologique de la torture et d'en faire vous-même l'expérience. La compréhension philosophique ou intellectuelle de la souffrance ne suffit pas. Il faut vraiment ressentir quelque chose. Et la seule façon d'œuvrer au cœur du problème est d'en faire l'expérience vous-même, mais on n'a pas pour autant à provoquer de situation douloureuse. Ces situations se produiront avec l'aide d'un ami spirituel qui est un chirurgien armé d'un couteau tranchant.

Q. Lorsque l'on est en train de lâcher prise, et que l'on a l'impression à ce moment que notre ami spirituel pointe son scalpel vers nous et supprime toute anesthésie, c'est une situation vraiment terrifiante. L'ami spirituel a l'air très en colère et dégoûté, et l'on a envie de s'échapper. Pourquoi?

R. C'est toute la question. L'opération se déroule sans anesthésie. Il faut être prêts. Si vous vous y échappez, c'est comme un homme qui, atteint d'une crise d'appendicite, s'enfuirait en courant de la salle d'opération, son appendice risque d'éclater.

Q. Mais tout ceci intervient très tôt dans la relation avec l'ami spirituel; cela fait cinq minutes que l'on est avec lui. Soudain le toit s'écroule, et il vous laisse vous débrouiller. Peut-être dira-t-il : « Je ne vous suis pas dans votre tralala. Cela fait déjà cinq minutes. Abandonnez, lâchez tout, faites les choses vous-même, et, quand vous aurez tout largué, nous parlerons ensemble. » C'est en tout cas mon expérience.

R. Voyez-vous, il importe peu que vous soyez un débutant ou un disciple avancé. Ce qui compte, c'est combien vous vous êtes fréquenté vous-même. Si vous vous êtes fréquenté, vous vous connaissez. C'est comme lorsque vous êtes malade. Imaginons que vous soyez en voyage à l'étranger, vous tombez malade, et vous allez voir un médecin. Il ne parle peut-être même pas votre langue, mais il palpe votre corps, et il voit ce qui ne va pas chez vous, aussi décide-t-il de vous emmener sur-le-champ à l'hôpital pour vous opérer. Cela dépend du degré d'avancement du mal. La gravité de l'opération dépend du degré de développement de la maladie dans votre corps. Ce corps est peut-être sur le point d'éclater. Si vous avez l'appendicite, et que le médecin attend trop longtemps, le temps de faire connaissance avec vous, votre appendice va peut-être éclater. Personne ne dira que c'est une bonne façon de soigner les gens.

Q. Pourquoi fait-on le premier pas sur le sentier? Qu'est-ce qui nous y conduit? Un accident, le destin, le karma[1]?

1. Enchaînement des causes et des effets· les actes (pensées, paroles, actions) et leur conséquence *(NdT)*.

R. Si vous vous ouvrez complètement, vous êtes déjà sur le sentier. Si vous vous abandonnez à moitié, vous n'y êtes que partiellement. Cela va se répercuter sur vous car, si vous ne dites pas tout à votre médecin, vous guérirez moins vite parce qu'il ne connaîtra pas toute votre histoire. Plus vous lui en direz, mieux il pourra vous soigner.

Q. Si la voie véritablement dure consiste à m'abandonner, dois-je accepter de m'abandonner à ce que je considère être mal, sachant que je puis prendre des coups?

R. S'ouvrir ne signifie pas accueillir en martyr toutes les menaces qui surviennent. Il n'est pas nécessaire de rester sur la voie de chemin de fer lorsque arrive le train pour s'ouvrir au train. Ce serait la voie de l'héroïsme, la fausse voie dure. A chaque fois que nous rencontrons quelque chose que nous considérons comme « mal », l'autoprotection de l'ego s'en trouve menacée. Et nous sommes tellement occupés à préserver notre existence en face de cette menace que nous ne pouvons pas du tout voir clairement la chose. Pour nous ouvrir, il nous faut pourfendre notre désir de préserver notre existence propre. Alors nous pouvons voir la situation clairement, telle qu'elle est, et avoir une action juste.

Q. Mais nous n'avons tout de même pas qu'une seule balle, n'est-ce pas? Je veux dire qu'il arrive que dans un certain contexte, nous puissions nous ouvrir, et que, placés dans une autre situation, nous cachions notre visage derrière un masque, même si nous ne le souhaitons pas réellement. Il n'est vraiment pas facile de réaliser complètement l'ouverture.

R. Le point fondamental est qu'il est inutile de lutter si vous voulez vous ouvrir. Une fois que vous avez engagé vos pas dans le sentier, si vous abandonnez la lutte, cela règle tout le problème. Alors, il n'est plus du tout question de savoir si vous voulez ou non vous engager dans les situations de la vie. L'instinct simiesque de l'ego se dissout, parce qu'il est fondé sur de l'information de seconde main, plutôt que sur l'expérience directe de ce qui est. La lutte est l'ego. Une fois que vous abandonnez la lutte, il n'y a plus personne pour se surmonter à la lutte; tout cela s'évanouit. Aussi, voyez-vous, il ne s'agit pas de vaincre la lutte.

Q. Lorsque l'on se sent en colère, faut-il manifester cette colère, si l'on veut s'ouvrir?

R. Lorsque vous parlez d'ouverture et d'abandon dans le cas de la colère, par exemple, cela ne veut pas dire qu'il faille sortir dans la rue et passer quelqu'un à tabac. Ce serait plutôt un moyen de nourrir l'ego qu'une façon d'exposer réellement cette colère, d'en voir la qualité vraiment vivante. Cela est valable du démasquage en général. Il s'agit de voir la qualité fondamentale d'une situation, telle qu'elle est, plutôt que d'essayer d'en faire quelque chose. Bien sûr, si l'on est complètement ouvert à la situation, sans idée préconçue, on saura distinguer une action juste d'un acte maladroit. Vous ne choisirez pas de vous engager dans une quelconque démarche, maladroite et inhabile, vous choisirez le chemin de l'action habile et créatrice. Vous n'êtes pas compromis dans des jugements de valeur, mais vous prenez la route créatrice.

Q. Faut-il nécessairement en passer par le stade de la collection d'objets et du déguisement?

R. On rassemble des objets et, ensuite, on a du mal à les abandonner. C'est comme lorsqu'on a des points de suture, après une opération. On a peur de les retirer, on est craintif, on s'est habitué à la présence de ce corps étranger dans notre système.

Q. Pensez-vous que, sans maître, il soit possible de commencer à voir ce qui est, de se voir tel que l'on est?

R. Je crois que c'est absolument impossible. Il vous faut un ami spirituel pour lâcher prise et vous ouvrir complètement.

Q. Est-il absolument nécessaire que l'ami spirituel soit un être humain vivant?

R. Oui. Tout autre « être », avec qui l'on pourrait se croire en train de communiquer, est imaginaire.

Q. Les enseignements du Christ, en eux-mêmes, ne peuvent-ils pas être un ami spirituel?

R. Je ne le pense pas. C'est une situation imaginaire. Et il en est de même avec tous les enseignements, pas nécessairement ceux du Christ. Le problème est qu'on peut les interpréter soi-même. C'est toute la question : les Écritures sont toujours ouvertes à l'interprétation de l'ego.

Q. Lorsque vous parlez de s'ouvrir, de lâcher prise, cela me rappelle vraiment certaines écoles de psychothérapie. A votre avis, quelle est la fonction des choses que font les gens en psychothérapie?

R. Dans la plupart des formes de psychothérapie, le problème est que, si l'on considère le processus comme « thérapeutique », alors on ne le prend pas vraiment au sérieux, car on croit agir de façon thérapeutique. En d'autres termes, cette thérapie est un passe-temps. Bien plus, vous voyez la situation thérapeutique définie par votre dossier d'antécédents. Parce que quelque chose n'a pas tourné rond dans votre relation avec père et mère, vous avez cette malheureuse tendance à... Lorsqu'elle commence à traiter son histoire personnelle essayant de la mettre en rapport avec le présent, la personne commence à sentir qu'elle n'a plus d'issue, que sa situation est désespérée, parce que l'on ne peut refaire son passé. Elle se sent prise au piège de son passé, dans un cul-de-sac. Ce type de traitement est très maladroit. Destructeur, même, parce qu'il entrave l'engagement dans l'aspect créateur de ce qui se passe ici et maintenant. Mais, d'un autre côté si dans la psychothérapie, on met l'accent sur la vie du moment présent, si on se préoccupe de travailler sur les problèmes présents, non seulement en ce qui concerne l'expression verbale et les pensées, mais aussi en termes d'expérience véritable des émotions et des sentiments, alors je crois que l'on peut atteindre une méthode de travail très équilibrée. Malheureusement, il y a de nombreux types de psychothérapie et de nombreux psychothérapeutes occupés à se vérifier eux-mêmes et à vérifier leurs théories plutôt qu'à travailler sur ce qui est. En fait le travail sur ce qui est les effraie.

Il vaut mieux simplifier le problème que le compliquer à force de théories, quelles qu'elles soient. La situation de maintenant, de l'instant présent, contient en germe plein de dossiers personnels et de projets pour l'avenir. Tout est ici, aussi n'avons-nous pas besoin d'aller plus loin pour prouver qui nous fûmes, sommes ou pourrions être. Dès que l'on essaie de démêler le passé, alors on entre dans l'ambition et la lutte dans le moment présent, sans être capable de l'accepter tel qu'il est. C'est une solution très lâche. Bien plus, il n'est pas sain de considérer notre thérapeute ou notre gourou comme un sauveur. Il nous faut travailler sur nous-mêmes. Il n'y a pas d'autre alternative. Peut-être l'ami spirituel, dans certaines circonstances, accentuera-t-il notre souffrance. Cela fait partie de la relation soignant-soigné. Il n'est pas question de considérer le sentier spirituel comme quelque chose de somptueux et d'agréable, mais comme le simple fait de regarder en face les réalités de la vie.

La voie ouverte

Il doit être clair maintemant que si l'on veut trouver la voie ouverte, il faut d'abord faire l'expérience de l'auto-illusion telle qu'elle est, et lâcher prise complètement. Il se peut même que nous hésitions à considérer une issue aussi incertaine que la voie ouverte, tellement nous nous méfions de notre ambition. Mais notre circonspection manifeste que nous sommes prêts à l'envisager. En fait, l'hésitation, à ce stade, est peut-être une nouvelle forme d'auto-illusion : ignorer les enseignements sous prétexte d'extrême prudence et de souci de perfection.

L'approche de la voie ouverte gît dans l'expérience de l'abandon (que nous avons examiné dans la causerie sur l' « initiation »), l'expérience de l'ouverture de soi-même à la vie, être ce que l'on est, présenter ses qualités positives et négatives à l'ami spirituel, et se frayer un chemin. Après nous être présentés, avoir eu l'expérience de l'initiation, de la rencontre des deux esprits, nous essaierons peut-être d'évaluer nos références. Nous avons fait l'expérience d'un événement tellement extraordinaire; nous étions prêts à nous ouvrir, et notre ami spirituel s'est ouvert, et tous deux nous sommes rencontrés au même moment, c'était merveilleux.

Le problème gît dans le fait que nous essayons toujours de nous sécuriser, de nous assurer que tout va bien. Nous cherchons constamment quelque chose de solide à quoi nous accrocher. La situation « miraculeuse » de la rencontre des deux esprits est une expérience tellement fantastique qu'elle semble confirmer notre croyance à la magie et au miracle.

Aussi l'étape suivante dans le sentier de l'auto-illusion est-elle le désir de voir des miracles. Nous avons lu de nombreux ouvrages narrant la vie de grands yogins, swamis, et autres saints et avatars. Et tous ces livres parlent de miracles. L'un traverse les murs, l'autre retourne le monde comme un gant – miraculeusement. Nous voudrions nous convaincre que de tels miracles existent, parce que nous souhaiterions être sûrs que nous sommes du côté du maître, du côté de la doctrine, du côté des miracles, sûrs que ce que nous faisons est sans risques, puissant, sensationnel vraiment, sûrs que nous sommes du côté des « bonbons ». Nous voudrions être l'une de ces rares personnes qui ont accompli quelque chose d'extraordinaire, de fantastique, de merveilleux, un de ceux qui ont renversé le monde. « Je croyais vraiment être debout sur le plancher, et je me retrouve assis au plafond! » L'éclair soudain de la rencontre avec l'ami spirituel, la rencontre des deux esprits, est quelque chose de complètement réel, une expérience authentique, sensationnelle, un vrai miracle! Peut-être n'en sommes-nous pas *absolument* sûrs, mais, certainement, un tel miracle doit vouloir dire que nous sommes tombés sur quelque chose, qu'enfin nous avons trouvé la véritable voie.

Des efforts aussi intenses pour nous prouver que ce que nous faisons est juste indiquent un état d'esprit très introverti; nous sommes conscients de nous et de notre état. Nous avons le sentiment de faire partie d'une minorité et de faire quelque chose de très extraordinaire, d'être différents de tout le monde. Cette sorte d'efforts en vue de nous prouver notre caractère unique est, en fait, une tentative de valider notre auto-illusion. « Bien sûr, j'ai connu une expérience extraordinaire; bien sûr, j'ai vu le miracle; bien sûr, j'ai eu l'éclair; aussi vais-je continuer. » C'est là une situation enfermée sur elle-même, très introvertie. Nous n'avons pas le temps d'établir une relation avec autrui, amis ou parents, et le monde extérieur. Nous ne nous occupons que de nous-mêmes.

A la longue, cet enthousiasme s'affadit et se fane; nous commençons à réaliser que nous nous sommes auto-illusionnés, et à nous rapprocher de la voie ouverte authentique. Nous commençons à soupçonner que toutes nos croyances sont hallucinatoires, et que nous avons faussé notre expérience en la valorisant. « C'est vrai, j'ai eu un éclair d'illumination instantanée, mais, en même temps, j'ai essayé de le posséder, de le saisir, et il a disparu. » Nous commençons à réaliser que l'auto-illusion ne fonctionne pas du tout, que c'est une simple tentative de nous réconforter, de rester en contact avec nous-mêmes, intérieurement, de nous prouver quelque chose, plutôt que d'être réellement ouverts. Peut-être en viendrons-nous à nous punir nous-mêmes : « Si j'essaye de ne pas m'illusionner, c'est une nouvelle sorte d'auto-illusion; et si j'essaye d'éviter cela, je m'illusionne encore. Comment me libérer? Et si j'essaye de me libérer, n'est-ce pas une autre forme d'illusion que je me forge? » et ainsi continue la réaction en chaîne, sans fin, la réaction en chaîne de la paranoïa galopante.

Une fois que nous avons découvert l'auto-illusion, nous souffrons terriblement de la paranoïa et de l'autocritique, ce qui nous aide. Il est bon de faire l'expérience du désespoir de nos ambitions, d'essayer d'être ouvert, de tâcher de prendre la vie telle qu'elle est, parce que cela prépare le terrain à un autre type d'attitude envers la spiritualité. Toute la question est là : quand allons-nous nous ouvrir, *réellement?* L'action de notre esprit est enchevêtrée, introvertie, elle nous travaille comme un ongle incarné : si je fais ceci, cela va se produire; si je fais cela, ceci va se produire. Comment échapper à l'auto-illusion? Je la reconnais, je la vois, mais comment en sortir?

J'ai bien peur que chacun de nous doive faire le chemin pour lui-même. Je ne suis pas le guide d'un voyage organisé vers l'illumination. Je ne garantis rien. Je suggère simplement qu'il y a peut-être quelque chose de faux dans cette approche.

Peut-être sentons-nous que cette approche n'est pas juste, et nous demandons conseil à notre maître :

– Je suis complètement convaincu que ce sentier est bon pour moi, bien sûr – ne discutons même pas cela. Mais quelque chose ne tourne pas rond. J'ai travaillé et retravaillé sur moi-même, et je me trouve encore impliqué dans une chaîne de défaites qui se chevauchent.

– D'accord, et ensuite?

– Eh bien, je suis trop occupé pour rien faire d'autre, tellement tout ceci m'obsède.

– D'accord, détendez-vous.

– Que puis-je faire? N'avez-vous rien à me suggérer?

– J'ai bien peur de ne pouvoir donner une solution immédiate à votre problème. Il me faut savoir ce qui ne va pas chez vous, pour commencer. Si votre récepteur de télévision ne marche pas, vous ne changez pas les pièces à tout hasard. D'abord, vous examinez entièrement la machine. Quelle partie ne fonctionne pas? Quels tubes ne marchent pas?

– Eh bien, il ne semble pas qu'il y ait véritablement quelque chose qui ne va pas. Mais dès que j'essaie de toucher au sujet, il devient fou furieux, ça ne s'enclenche plus du tout. Lorsque j'essaye de corriger le processus, je n'obtiens aucun résultat. Il y a probablement une pièce qui a sauté.

– Grave problème.

– Voyez-vous, chaque fois j'essaye d'en sortir, comme vous-même et les autres maîtres m'ont dit de le faire, je n'arrête pas d'essayer, mais il ne semble pas y avoir de fin à mon problème. Tout va mal. Si je commence à pratiquer les *asanas* [1], le *pranayama* [2], *zazen* [3], quoi que ce soit, j'ai beau essayer de bien le faire, les mêmes problèmes familiers reviennent sans cesse. J'ai grande foi dans ces doctrines, ces enseignements,

1. Postures *(NdT)*.
2. Yoga de la respiration *(NdT)*.
3. Méditation Zen dans la posture du Bouddha *(NdT)*.

ces méthodes, bien sûr. J'aime les maîtres. J'aime vraiment les méthodes. J'ai complètement confiance en elles. Je connais beaucoup de gens qui ont évolué de façon merveilleuse après avoir voyagé sur le sentier que je tâche de prendre, mais qu'est-ce qui ne va pas chez moi? Peut-être ai-je un mauvais karma, peut-être suis-je la brebis galeuse du troupeau. Est-ce possible? S'il en est ainsi, je suis prêt à faire un pèlerinage en Inde, sur les genoux, je ferai tous les sacrifices nécessaires. Je veux bien jeûner. Je puis faire tous les vœux imaginables, mais je veux qu'au moins ça marche. Je veux entrer dans la pratique. Que puis-je faire? Est-ce que vos livres sacrés prescrivent quelque chose d'autre qui soit adapté à quelqu'un comme moi? N'y a-t-il pas un médicament à prendre, un sacrifice à faire?

— Je n'en suis pas si sûr. Revenez me voir demain. Peut-être trouverons-nous quelque chose.

C'est ce que pourrait dire un ami spirituel : « Revenez me voir demain, ou à la fin de la semaine. Nous en reparlerons. Mais ne vous en faites pas. » Et nous revenons le voir, nous croyons que nous avons un terrible problème et que l'ami dispose de toutes les réponses, spécialement mises au point pour nous. Et il redemandera :

— Ça avance?

— Que voulez-vous dire? J'attendais une réponse de *vous*. Vous savez bien comment je vais — très mal!

Vous devenez de fort méchante humeur, et, d'une certaine façon, c'est bien normal. Rien n'arrive, comme d'habitude. Les semaines s'écoulent, et vous continuez à venir. Vous commencez à désespérer, à soupçonner que toute cette histoire n'aboutira nulle part, ou bien vous formez le désir secret que ce soit peut-être pour cette fois, vous vous donnez quatre, cinq ou sept semaines. Sept est un chiffre symbolique, un nombre mystique. Le temps passe : désespoir complet. Vous vous apprêtez à rechercher d'autres solutions. « Peut-être devrais-je aller voir quelqu'un d'autre, rentrer chez moi et travailler avec mes proches; cette situation m'est trop contraire. Il semble qu'il n'y ait aucune communication entre lui et moi. Il est censé communiquer avec moi, mais c'est très décevant, rien ne se passe. » Vous vous asseyez et vous attendez. A chaque fois que vous le voyez, vous savez presque immédiatement qu'il va vous dire : « Retournez méditer » ou bien : « Comment allez-vous? Voulez-vous une tasse de thé? » C'est toujours, indéfiniment, la même chose.

Qu'est-ce qui ne va pas? En fait tout, absolument tout va bien, la situation est très belle — du moins en ce qui concerne votre ami spirituel. Mais cette période d'attente de votre part, occupée à essayer de dépasser quelque chose, n'est pas juste en elle-même, parce que en attendant vous vous concentrez sur vous-mêmes, vous travaillez vers l'intérieur plutôt que l'extérieur. Vous avez tendance à tout centraliser, votre psychisme, votre état d'esprit se fait une montagne de lui-même. Voilà ce qui ne va pas.

Je devrais peut-être vous conter l'histoire de Naropa et de son maître Tilopa, le grand sage indien. Tilopa passa douze ans avec Naropa à faire pratiquement ce que nous venons de dire : « Si tu vas me chercher de la soupe à la cuisine, je t'enseignerai, peut-être », disait Tilopa. Alors Naropa rapportait de la soupe, après s'être fait passer à tabac par les cuisiniers pour son larcin. Il arrivait en sang, mais heureux, et se faisait dire par Tilopa : « Je veux encore un bol, va me le chercher. » Il retournait chercher la soupe, et revenait à demi mort. Tout cela, il le faisait par désir de recevoir l'enseignement. Alors Tilopa lui disait : « Merci, allons ailleurs. » Ce genre d'incident se reproduisait sans cesse, jusqu'à ce que l'attente de Naropa ait atteint son summum. A ce moment précis, Tilopa ôta sa sandale et frappa Naropa au visage. C'était l'abhisheka le plus haut et le plus profond — les qualificatifs ne manquent pas — le plus grand abhisheka. Une sandale claque contre la joue d'un homme et, soudain, Naropa n'a plus rien à faire.

Mais ne nous laissons pas emporter par cette scène mystique. Le sentier ouvert, la voie ouverte, tout est là. Nous avons examiné et expérimenté en profondeur l'auto-illusion. Nous avons porté un fardeau extrêmement lourd, comme une tortue sa carapace. Nous avons continuellement tenté de nous incruster dans cette carapace, essayant agressivement, impulsivement, de nous rendre « quelque part ». Il nous faut justement abandonner toute cette précipitation [1] et cette agression, toute la qualité exigeante. Un peu de compassion envers nous-mêmes et la voie s'ouvre.

Parvenus à ce stade, il nous faut examiner la signification de la compassion, qui est la clé de la voie ouverte, qui en est l'atmosphère. La façon la meilleure et la plus correcte de présenter la notion de compassion est de le faire en termes de clarté — une clarté qui contient la chaleur primordiale. A ce stade de la méditation, la pratique est un acte de confiance en soi. Au fur et à mesure que votre pratique imprègne les actes de la vie quotidienne, vous commencez à prendre confiance en vous et à avoir une attitude de compassion. La compassion en ce sens ne consiste pas à vous désoler pour les autres. C'est la chaleur fondamentale. Il y a autant de chaleur que de clarté et d'espace. Vous avez le sentiment délicieux que des choses positives vous arrivent constamment. Tout ce que vous faites n'est plus une corvée mécanique du point de vue de la méditation consciente de soi, mais la méditation devient un acte spontané et délicieux. Vous entrez sans cesse en amitié avec vous-mêmes.

Une fois que nous nous aimons, nous ne pouvons plus garder cette amitié pour nous; cela déborde, et nous entrons en relation avec le monde. La compassion devient ainsi le pont qui nous relie au monde extérieur. La confiance en la compassion envers nous-mêmes nous donne l'inspiration pour danser avec la vie, communiquer avec les énergies du monde. Sans ce type d'inspiration et d'ouverture, le sentier spirituel devient

1. « Speed », en américain : la vitesse, et aussi les amphétamines *(NdT).*

le chemin samsarique du désir. On reste piégé dans le désir de s'améliorer, d'atteindre des buts imaginaires. Et si l'on sent que l'on ne peut atteindre son but, on souffre le désespoir, on s'inflige la torture de l'ambition insatisfaite. D'un autre côté, si l'on a le sentiment de toucher au but, on devient complaisant et agressif. « Je sais ce que je fais, ne me touchez pas. » On se gonfle de son savoir, tels certains « spécialistes » qui connaissent leur sujet par cœur. Si quelqu'un leur pose des questions, particulièrement des questions stupides ou provocantes, ils se fâchent, plutôt que d'essayer d'expliquer quoi que ce soit. « Comment pouvez-vous dire cela, comment osez-vous poser des questions aussi stupides? Ne voyez-vous pas ce que je sais? »

Ou bien, il se peut même que l'on parvienne à quelque forme de concentration dualiste, et que l'on connaisse des « états mystiques ». Dans ce cas, on a l'air très tranquille et religieux dans le sens conventionnel. Mais il faut sans cesse en rajouter, conserver son « état mystique » et s'évaluer constamment, vérifier ses réalisations pour s'en satisfaire. C'est la distorsion typique de la méditation Hinayana intériorisée, de l'auto-illumination, et, d'une certaine façon, c'est une forme d'agression. Il n'y a ni ouverture ni compassion parce que l'on est tellement braqué sur sa propre expérience.

La compassion n'a rien à voir avec la réalisation. Elle est ample et généreuse. Lorsque l'on développe la véritable compassion, on ne sait plus si l'on est généreux envers soi-même ou envers les autres, car la compassion est la générosité de l'environnement, sans direction, sans « pour moi » et « pour les autres ». Elle est pleine de joie, de joie spontanée, de joie constante dans le sens de la confiance, dans la mesure où la joie contient de fabuleuses richesses.

On pourrait dire que la compassion est l'aboutissement de la richesse : une attitude antipauvreté, une guerre contre le manque. Elle contient toutes sortes de qualités héroïques, juteuses, positives, visionnaires, expansives. Elle implique une plus vaste échelle de pensée, une façon plus libre et plus expansive d'entrer en relation avec soi-même et avec le monde. C'est précisément pourquoi le second *yana* est nommé *Mahayana,* « Grand Véhicule ». C'est l'attitude qui correspond au fait que l'on est né fondamentalement riche, plutôt que celle de l'enrichissement. Sans ce type de confiance, la méditation ne peut absolument pas être transmutée en action.

La compassion invite automatiquement à entrer en relation avec autrui, parce que nous arrêtons de considérer que les autres nous pompent notre énergie. Ils nous rechargent en énergie, dès lors que dans la relation que nous établissons avec eux, nous reconnaissons notre trésor, notre richesse. Et si nous avons des choses difficiles à faire, avec les gens et les situations de la vie par exemple, nous n'avons pas le sentiment d'épuiser nos ressources. Chaque tâche difficile est pour nous une délicieuse occasion de manifester notre richesse. On ne se sent pas le moins du monde pauvre lorsqu'on aborde ainsi la vie.

La compassion comme clé de la voie ouverte, le Mahayana, rend possibles les actions transcendantes du *bodhisattva.* Le sentier du bodhisattva commence avec l'ouverture et la générosité — s'ouvrir et donner —, avec le processus de l'abandon. Il ne s'agit pas de donner quelque chose à quelqu'un, mais bien plutôt de lâcher prise sur vos exigences et sur les critères fondamentaux de ces exigences. C'est la *dana paramita,* la paramita de la générosité. C'est apprendre à se fier au fait que l'on n'a pas besoin d'assurer son terrain, apprendre à se fier à sa richesse primordiale, apprendre que l'on peut se payer le luxe d'être ouvert. Telle est la voie ouverte. Si on abandonne une attitude psychologique d' « exigence », la santé fondamentale commence à évoluer, ce qui conduit à l'action suivante du bodhisattva, la *shila* paramita, la paramita de la moralité ou discipline.

Une fois que l'on s'est ouvert, que l'on a tout abandonné, que l'on a cessé de faire référence au critère fondamental de « je suis en train de faire ceci, je suis en train de faire cela », que l'on ne se réfère plus à soi, alors toutes les situations liées au maintien de l'ego ou à l'accumulation s'évanouissent d'elles-mêmes. C'est l'accomplissement de la moralité, et la situation d'ouverture et de bravoure s'en trouve d'autant intensifiée : on n'a plus peur de se faire du mal ou de nuire aux autres parce que l'on est totalement ouvert. Toutes les situations deviennent inspirantes, ce qui apporte la patience, la *kshanti* paramita. Et la patience conduit à l'énergie, *virya* — la réjouissance délicieuse. La joie formidable de l'engagement qu'est l'énergie apporte aussi la vision panoramique de la méditation ouverte — l'expérience de *dhyana* — l'ouverture. On n'est plus séparé de la situation extérieure tellement on est engagé dans la danse et le jeu de la vie.

Alors on s'ouvre encore plus. On ne considère plus que quoi que ce soit doive être rejeté ou accepté; on va, tout simplement, avec chaque situation. On ne fait plus l'expérience de la guerre; il n'y a plus ni ennemi à vaincre ni but à atteindre. On n'est plus obsédé par l'accumulation ni par le don. Plus d'espoir ni de crainte. C'est le développement de *prajna,* la connaissance transcendantale, la capacité de voir les situations telles qu'elles sont.

Aussi bien le leitmotiv de la voie ouverte est-il que l'on doit commencer par abandonner la lutte fondamentale de l'ego. Pour être complètement ouvert, pour avoir ce type d'absolue confiance en soi qui est le véritable sens de la compassion et de l'amour. Tant de discours ont été faits sur la Terre au sujet de l'amour et de la paix. Mais comment réellement faire naître l'amour? Le Christ a dit : « Aime ton prochain comme toi-même. » Comment s'y prendre? Comment irradier notre amour aux dimensions de l'humanité tout entière, de la Terre tout entière? « Il le faut, et c'est la vérité! » « Si tu n'aimes pas, tu es damné, mauvais; tu es un fléau pour l'humanité. Si tu aimes, tu es sur la voie, sur la bonne voie. » Certes, mais comment faire? Beaucoup de gens deviennent romantiques lorsqu'il est question d'amour, le seul mot d'amour les fait « planer ». Mais il y aura des brèches, les périodes où l'on ne plane pas. Quelque chose d'autre intervient, un sujet privé, embarrassant. Nous essayons de le cacher; c'est le « domaine personnel », notre part honteuse, ce qui ne ressortit pas à notre divinité. N'y pensons pas. Déclenchons une nouvelle explosion d'amour. Et ça continue, on tâche d'ignorer ces régions de notre être que l'on rejette, et l'on s'exerce à la vertu, à la gentillesse, à l'amour.

Beaucoup de gens vont peut-être se sentir déconcertés, mais j'ai bien peur que l'amour ne se réduise pas à l'expérience de la beauté et de la joie romantique. L'amour est autant impliqué dans la laideur, la douleur et l'agression, que dans la beauté du monde; ce n'est pas récréation du ciel. L'amour, ou la compassion, le sentier ouvert, sont impliqués dans « ce qui est ». Pour développer l'amour — l'amour universel, l'amour cosmique, appelons-le comme nous voulons — il nous faut accepter l'ensemble de la situation de la vie telle qu'elle est, le lumineux et l'obscur, le bien et le mal. Il faut s'ouvrir à la vie, communiquer avec elle. Peut-être lutte-t-on pour développer, pour accomplir la paix et l'amour : « Nous réussirons, nous dépenserons des milliers de dollars pour répandre partout la doctrine de l'amour, nous allons proclamer l'amour. » D'accord, proclamez, dépensez votre argent, mais qu'en est-il de la fébrilité et de l'agression qui sous-tendent vos actes? Pourquoi voulez-vous nous forcer à accepter votre amour? Pourquoi y mêler tant de force et de précipitation? Si votre amour circule à la même vitesse et avec le même élan que la haine des autres, quelque chose ne va pas. Cela se ressemble comme deux gouttes d'eau. Tant d'ambition est impliquée dans le prosélytisme. Ce n'est pas là une situation ouverte, une communication avec les choses telles qu'elles sont. Le sens ultime des mots « paix sur la terre » consiste à supprimer conjointement les notions de guerre et de paix, et à nous ouvrir également et complètement aux aspects négatifs et positifs du monde. C'est comme dans une vue aérienne : il y a des zones de lumière et des zones d'ombre dans le monde; on accepte les deux. On n'essaie pas de défendre la lumière contre l'ombre.

L'action du bodhisattva ressemble à un clair de lune qui se répand sur une centaine de bols emplis d'eau, de telle sorte qu'il y a une centaine de lunes, une dans chaque bol. La lune, ni personne, ne cherche à illuminer les bols. Mais, pour une raison mystérieuse, il y a cent reflets de la lune dans les cent bols. L'ouverture requiert ce type de foi absolue et de confiance en soi. La situation ouverte de la compassion travaille ainsi, plutôt que d'essayer délibérément de créer une centaine de lunes, une dans chaque bol.

Le problème fondamental auquel il semble bien que nous soyons confrontés est que nous essayons trop de prouver quelque chose, ce qui relève de notre paranoïa et de notre sentiment de pauvreté. Lorsque nous essayons de prouver ou d'obtenir quelque chose, nous ne sommes plus ouverts : il faut tout vérifier, il faut l'arranger « correctement ». C'est vraiment une attitude paranoïde envers la vie, et qui ne prouve rien. Nous arriverons peut-être à battre des records en termes quantitatifs – nous aurons construit l'édifice le plus haut, le plus gros, nous aurons amassé la récolte la plus gigantesque. Mais qui s'en souviendra lorsque nous serons morts? Ou dans cent ans? dans dix ans? dans dix minutes? Les records qui comptent sont ceux du moment donné, d'ici et maintenant – oui ou non, la communication et l'ouverture ont-elles lieu?

Telle est la voie ouverte, le sentier du bodhisattva. Un bodhisattva ne se soucierait pas de recevoir une médaille de tous les bouddhas proclamant qu'il est le meilleur bodhisattva de l'univers entier; cela lui serait complètement égal.

Dans les textes sacrés, on ne trouve pas de bodhisattva recevant des médailles. Et c'est bien normal, puisqu'il ne cherche pas à prouver quoi que ce soit. Le bodhisattva agit spontanément, c'est la vie ouverte, la communication ouverte n'implique aucune précipitation, aucun combat.

Q. Je suppose qu'un bodhisattva aide les autres, et que les autres formulent des demandes spécifiques. Aussi doit-il effectuer des actes spécifiques. Mais comment accorder la notion de totale ouverture avec le besoin de poser certains actes spécifiques?

R. L'ouverture ne signifie pas être détaché, un zombie, mais être libre de faire ce qu'exige une situation donnée. Comme vous n'attendez rien de la situation, vous êtes libre d'agir d'une façon authentiquement appropriée. Et, de façon similaire, si les autres attendent quelque chose de vous, il se peut bien que ce soit leur problème. Vous n'avez pas à vous insinuer dans les bonnes grâces de quiconque. L'ouverture signifie « être ce que l'on est ». Si vous êtes bien dans votre peau, un milieu ouvert et communicant surgira automatiquement, naturellement. C'est comme dans l'histoire de la lune et des bols emplis d'eau : si les bols sont là, ils refléteront votre état de lune. S'ils ne sont pas là, ils ne le feront pas. Et, s'ils sont seulement à moitié là, ils ne refléteront qu'une moitié de lune. Cela dépend d'eux. Vous êtes simplement là, la lune, ouverte, et les bols peuvent vous refléter, ou non. Vous n'êtes ni intéressé ni désintéressé, vous êtes là, c'est tout.

Les situations se développent automatiquement. Il n'est pas nécessaire de se placer dans des rôles ou des milieux donnés. Je crois que beaucoup d'entre nous ont longtemps essayé de faire cela, nous nous sommes limités, nous avons cru ne pouvoir nous adapter qu'à un ensemble de circonstances étroitement défini. Nous dépensons tellement d'énergie à concentrer notre attention sur un seul point que nous sommes tout surpris de découvrir que nous avons laissé de côté des zones entières.

Q. Peut-on agir avec compassion et faire tout de même les choses comme elles doivent être faites?

R. Lorsqu'il n'y a ni précipitation, ni agression, on réalise que l'on a la place de se mouvoir et d'agir, et l'on voit plus clairement ce qui doit être fait. On devient plus efficace, et le travail plus précis.

Q. Je crois, Rinpoché [1], que vous avez fait une distinction entre le sentier ouvert et le sentier intérieur. Pouvez-vous expliciter la différence que vous voyez entre l'intérieur et l'extérieur?

R. Eh bien, le mot « intérieur », tel que vous l'employez, paraît impliquer une lutte, un retournement sur soi-même, l'examen de soi pour savoir si l'on est, ou pas, quelqu'un de suffisamment valable, de présentable, d'efficace. Dans cette approche, il y a trop de « travail sur soi-même », trop de concentration intérieure. Tandis que le sentier ouvert consiste à travailler simplement avec ce qui est, à abandonner la peur de l'échec. Il faut abandonner la paranoïa qui nous porte à croire que nous sommes incapables de nous accommoder aux situations, que nous risquons d'être rejetés. On prend la vie comme elle est.

Q. D'où vient l'attitude de chaleur?

R. De l'absence d'agression.

Q. Mais n'est-ce pas le but?

R. Tout autant que le sentier, le pont. On ne vit pas sur un pont. On l'emprunte. Dans l'expérience de la méditation, un

1. Littéralement « joyau précieux », ce titre n'est donné qu'à certains maîtres *(NdE)*.

sens de l'absence d'agression surgit automatiquement, ce qui est la définition du dharma. Dharma se définit comme « sans-passion », et l'absence de passion implique l'absence d'agression. Si l'on est passionné, on recherche une satisfaction rapide du désir. Lorsqu'il n'y a pas désir de se satisfaire, il n'y a ni précipitation ni agression. Si l'on parvient à entrer dans la simplicité de la pratique de la méditation, l'absence d'agression surgit automatiquement. Il n'y a plus cette ruée vers la réalisation, on peut se permettre de se détendre – et, donc, de se tenir compagnie, de se faire l'amour, d'être ami avec soi. Alors, les pensées, les émotions, tout ce qui surgit dans l'esprit accentue constamment l'acte d'entrer en amitié avec soi-même.

On peut dire aussi que la compassion est la qualité terrienne de la pratique de la méditation, la sensation de la terre et du solide. Le message de la chaleur compatissante est de ne pas se dépêcher et d'aborder chaque situation telle qu'elle est. Le nom indien américain *Sitting Bull*[1] m'en paraît une parfaite illustration. « Sitting Bull » est très solide et organique. On est vraiment présent, au repos.

Q. Vous avez semblé indiquer que la compassion se développe, mais en impliquant que l'on n'a pas à la cultiver.

R. Elle se développe, elle croît, elle fermente par elle-même. Il n'y a pas besoin d'effort.

Q. Est-ce qu'elle meurt?

R. Il ne semble pas. Shantideva dit que chaque acte dépourvu de compassion est comme planter un arbre mort, tandis que tout ce qui procède de la compassion est comme planter un arbre vivant. Cela croît, sans cesse et sans fin, et

1. Littéralement « Bison assis » *(NdT)*.

cela ne meurt jamais. Même si ça a l'air de mourir, cela laisse une graine derrière soi et la plante renaît. La compassion est organique; elle ne connaît pas de terme.

Q. Il y a un certain type de chaleur qui survient lorsque l'on commence à établir une relation avec quelqu'un, et puis, en quelque sorte, cette énergie devient énorme et nous prend de telle façon qu'il n'y a plus aucun espace ou aucune place pour bouger.

R. Si la chaleur est libre d'implications et du besoin de se rassurer, et n'a pas besoin de se vérifier, alors, elle se soutient elle-même, et elle est fondamentalement saine. Lorsque l'on fait du yaourt, si l'on élève la température ou que l'on essaie de s'occuper trop du yaourt, on ne fait rien de bon. Mais si on le laisse à la température juste, et qu'on l'abandonne, simplement, ce sera du bon yaourt.

Q. Comment savoir quand il faut l'abandonner?

R. Il n'est pas nécessaire de toujours essayer de vous diriger vous-même. Désavouez au lieu d'essayer de garder le contrôle, faites-vous confiance au lieu de vous vérifier. Plus vous tentez de vous vérifier, plus grand est le risque d'interrompre le jeu et la croissance naturels de la situation. Même si ce que vous faites est risqué, même s'il semble possible que toute l'affaire éclate ou change de direction, ne vous en faites pas pour cela.

Q. Que se passe-t-il lorsque l'on se fait du souci à propos d'une situation créée par quelqu'un?

R. Le souci ne sert de rien, en fait, il empire les choses.

Q. Il semble que le processus dont nous parlons requière une sorte d'absence de peur.

R. Oui, c'est bien cela. C'est la pensée positive, la mentalité de la richesse.

Q. Et si l'on sent la nécessité d'agir violemment pour faire du bien à quelqu'un, en dernier recours?

R. Vous le faites, simplement.

Q. Mais si l'on n'en est pas encore au stade de la véritable compassion et de la sagesse?

R. Ne vous posez pas de question, ne vous faites pas de souci à propos de votre sagesse. Faites simplement ce qu'exige la situation. La situation que vous rencontrez est en soi assez profonde pour être considérée comme une connaissance. Vous n'avez nul besoin d'informations de seconde main. Vous n'avez nul besoin de renforts ou de consignes pour agir. Les renseignements sont fournis automatiquement par la situation. Lorsqu'il faut être dur, vous l'êtes parce que la situation exige cette réponse. Vous n'imposez pas la dureté, vous êtes un instrument de la situation.

Q. Que prend-on pour pont lorsque l'on ne se sent pas compatissant?

R. Vous n'avez pas à *sentir* la compassion. C'est toute la différence entre la compassion sentimentale et la compassion-*compassion* : on ne la sent pas nécessairement; on l'*est*. En général, si vous êtes ouvert, la compassion surgit parce que vous ne cherchez pas à vous y complaire.

Q. Le pont de la compassion doit-il être constamment entretenu?

R. Je ne le pense pas. Il exige d'être reconnu plutôt que maintenu. C'est la mentalité de la richesse; on reconnaît que le pont est là.

Q. Que faire lorsqu'on a peur de quelqu'un, peut-être sans raison? Pour moi, cela ruine la compassion.

R. La compassion ne consiste pas à veiller sur quelqu'un qui a besoin d'aide, de soins, c'est la pensée générale, primordiale, organique, positive. Il semble bien que la peur d'autrui provienne de l'incertitude sur ce que l'on est. Et c'est bien pourquoi on a peur de telle situation ou de telle personne. La peur provient de cette incertitude. Si vous savez exactement comment vous comporter dans cette situation effrayante, vous n'avez pas peur. La terreur provient de la panique, de l'égarement par l'incertitude. L'incertitude est liée à la méfiance envers soi-même, le sentiment que l'on n'est pas en mesure de traiter le problème mystérieux qui nous menace. Il n'y a pas de peur si l'on réalise avec soi-même une relation de compassion, parce qu'on sait ce qu'on est en train de faire. Si nous savons ce que nous sommes en train de faire, alors nos projections deviennent, en quelque sorte, méthodiques et prévisibles. C'est ainsi que l'on développe *prajna,* la science de se comporter dans n'importe quelle situation.

Q. Qu'entendez-vous par projections dans ce contexte?

R. La projection est le reflet de vous-même dans un miroir. Comme vous êtes peu sûr de vous-même, le monde vous renvoie cette incertitude et le reflet commence à vous hanter. Votre incertitude vous hante, mais ce n'est que votre image dans le miroir.

Q. Vous dites que, lorsqu'on éprouve de la compassion envers soi-même, on sait ce que l'on fait. Qu'est-ce à dire?

R. Ces deux aspects de la méditation apparaissent toujours simultanément. Si vous vous ouvrez à vous-même et que vous avez une attitude positive par rapport à vous-même, vous savez automatiquement ce que vous faites parce que vous n'êtes pas un mystère pour vous-même. C'est *jnana,* la « sagesse », la « sagesse de l'éveil existant spontanément ». Vous savez que vous existez spontanément, vous savez ce que vous êtes, dès lors vous pouvez vous permettre de vous faire confiance.

Q. Si j'entrais réellement en amitié avec moi-même, je cesserais d'avoir toujours peur de faire des erreurs, n'est-ce pas?

R. Certainement. Le mot tibétain pour sagesse est *yeshe* ce qui signifie « intelligence primordiale ». Vous êtes vous-même au commencement de tout commencement. On pourrait presque parler de « confiance en vous-même sans origine ». Il n'y a aucun commencement à trouver. C'est une situation primordiale, aussi n'a-t-elle aucun début logique. C'*est* déjà. C'est sans commencement.

5. *Le Tourbillon de la Joie.*

Le sens de l'humour

Il serait intéressant d'examiner ce sujet en termes de ce que n'est *pas* le sens de l'humour. L'absence d'humour semble provenir de l'attitude du « fait brut ». Les choses sont très brutes, et mortellement honnêtes, mortellement sérieuses, comme, pour prendre une analogie, un cadavre vivant. On vit dans la douleur, avec une continuelle expression de souffrance sur le visage. On fait l'expérience de quelque type de fait brut – la « réalité » – et l'on reste mortellement sérieux, au point de devenir un cadavre vivant. La rigidité du cadavre vivant exprime l'opposé d'un sens de l'humour. On croirait que quelqu'un est assis derrière nous avec un sabre effilé. Si nous ne méditons pas correctement, assis tranquille et droit, quelqu'un va nous frapper par-derrière. Ou bien, si nous ne vivons pas de façon juste, honnête, directe, quelqu'un va nous battre. Cette contrainte provient du fait que nous nous regardons, nous nous observons, sans nécessité. Tout ce que nous faisons est sans cesse observé et censuré. A vrai dire, ce n'est pas le Grand Frère [1] qui observe, c'est le Grand Moi [2]! Un aspect de moi me regarde, derrière moi, prêt à frapper, prêt à indiquer exactement mes échecs. On n'est pas là pour se réjouir, on n'a pas le sens de l'humour.

Ce type de sérieux est aussi tout à fait lié au problème du

1. Cf. note p. 55.
2. *Ibid.*

matérialisme spirituel. « Je fais partie d'une certaine lignée de méditants, je suis associé à une Église, à une organisation, à cause de ma foi et de mon engagement religieux, il faut que je sois un bon garçon, ou une bonne fille, une personne honnête, bonne, quelqu'un qui va à l'église. Je dois me conformer aux normes de l'Église, à ses règles et à ses règlements. Si je ne remplis pas mes obligations, je serai damné, réduit à un corps ratatiné. » Il y a la menace de la solennité et de la mort — mort dans le sens de fin de tout processus créateur. Cette attitude correspond au sentiment de limitation, de rigidité; il n'y a plus du tout de place pour bouger.

On demandera peut-être alors : « Et les grandes traditions religieuses, les enseignements? Ils parlent de discipline, de règles et de règlements. Comment concilier cela avec la notion d'un sens de l'humour? » Eh bien, examinons correctement la question. Les règles, la discipline, la pratique de la moralité sont-elles réellement fondées sur l'attitude d'un jugement opposant le « bien » au « mal »? Les grands enseignements spirituels nous disent-ils vraiment que nous combattons l'obscurité parce que nous sommes du côté de la lumière et de la paix? Nous disent-ils de lutter contre le côté « indésirable », le mauvais et le noir? C'est une grande question. S'il y a une sagesse dans les enseignements sacrés, alors il ne devrait jamais y avoir de guerre. Aussi longtemps que l'on continue la guerre, que l'on essaie de se défendre ou d'attaquer, l'action n'est pas sacrée; elle est profane, dualiste, c'est la situation d'un champ de bataille. Il ne faudrait tout de même pas attendre des grands enseignements quelque chose d'aussi simpliste, essayer d'être bon, combattre le mal, ça, c'est plutôt l'approche d'un western de Hollywood — avant même d'avoir vu la fin, on sait déjà précisément que les bons auront la vie sauve et que les méchants seront écrasés. Cette approche est un peu simplette, c'est évident; mais c'est bien le type de situations que nous créons en termes de combat « spirituel », réalisation « spirituelle ».

Je ne dis pas qu'il faille déchaîner sauvagement le sens de l'humour. Je parle de voir quelque chose de plus que la guerre, la lutte, la dualité. Si nous regardons le sentier spirituel comme un champ de bataille, c'est que nous sommes faibles. Notre progrès sur la voie dépendra du territoire que nous aurons conquis, en châtiant nos fautes et celles d'autrui, il dépendra de la négativité que nous aurons éliminée. Il dépendra de la quantité d'obscurité que nous aurons anéantie, et de la quantité de lumière que nous aurons été capables de produire. C'est bien faible; on peut difficilement appeler cela la libération, ou la liberté, ou le *mukti,* ou le *nirvana.* On a réalisé la libération en écrasant quelque chose d'autre; c'est purement relatif.

Je ne veux surtout pas solenniser le sens de l'humour; et j'ai bien peur que les gens le fassent. Mais, si l'on veut bien comprendre la rigidité, ce qui est représenté par le cadavre, on ne peut éviter l'écueil du sérieux dans le sens de l'humour. Le sens de l'humour signifie que l'on voit les deux pôles d'une situation tels qu'ils sont, comme en vue aérienne. Il y a le bien et il y a le mal, et l'on voit les deux, dans une vue panoramique, comme d'en haut. Alors, on commence à sentir que les petites gens qui se donnent la mort, ou se font l'amour, ou sont tout simplement occupés à être de petites gens, sont bien insignifiants dans le sens que s'ils commencent à faire tout un plat de leurs affaires guerrières ou amoureuses, l'aspect ironique de leurs clameurs nous saisit aussitôt. Si l'on essaie très fort de construire quelque chose de formidable, de vraiment signifiant, de puissant — « Je cherche réellement quelque chose, j'essaie réellement de combattre mes défauts » ou « j'essaie terriblement d'être bon » —, alors le sérieux disparaît, devient un tigre de papier; c'est très ironique.

Il semble que le sens de l'humour provienne de la joie rayonnante, qui pénètre tout, qui a tout l'espace pour se déployer en une situation complètement ouverte, parce qu'elle n'est pas engagée dans la guerre entre « ceci » et « cela ». La joie se développe dans la situation de vision, de perception panoramique de tout le terrain, ouvert. Il n'y a pas, dans cette situation ouverte, le moindre soupçon de limite, ou de solennité forcée. Et, si l'on essaie de traiter la vie comme une « chose sérieuse », si l'on essaie d'imposer la solennité sur la vie comme si tout était si important, alors c'est drôle. Pourquoi en faire un plat?

Nous pouvons essayer de méditer en posture correcte, à cent, ou même deux cents pour cent. Bravo. C'est drôle. Ou bien nous pouvons essayer de développer un sens de l'humour, en tâchant toujours de rire des choses, de traquer l'humour jusque dans les moindres recoins, les moindres interstices. C'est déjà un jeu assez sérieux, ce qui est drôle également. Si nous en arrivons à être physiquement tendus au point de claquer des dents, de nous mordre la langue, quelque chose viendra nous chatouiller parce que nous sommes allés trop loin; il est absurde d'aller à de tels extrêmes. Cette extrême intensité devient elle-même de l'humour, automatiquement.

Une histoire tibétaine raconte qu'un moine renonça à sa vie samsarique, confuse, et décida d'aller vivre dans une grotte pour y méditer tout le temps. Auparavant, il n'avait pas arrêté de penser à la douleur et à la souffrance. Son nom était Ngonagpa de Langru, la Figure Noire de Langru, celui qui ne sourit jamais et voit toujours la vie sous son jour de souffrances. Il resta de nombreuses années en retraite, très solennel et mortellement honnête, jusqu'à ce qu'un jour, regardant l'autel, il vît que quelqu'un y avait déposé une turquoise en cadeau pour lui. Alors qu'il contemplait le présent, il aperçut une souris qui approchait en rampant et essayait d'emporter la turquoise. Mais la souris n'y arrivait pas. Aussi rentra-t-elle dans son trou chercher de l'aide. Elle ressortit avec une autre souris, et, toutes deux essayèrent de bouger ce gros morceau de turquoise, mais elles n'y parvinrent pas. Alors toutes deux se mirent à couiner, et huit autres souris arrivèrent, et réussirent finalement à tirer jusqu'à leur trou la grosse pierre précieuse. Alors, pour la première fois, Ngonagpa de Langru commença à sourire et à rire. Et ce fut sa première approche de l'ouverture, un éclair soudain d'illumination.

Aussi le sens de l'humour ne se réduit-il pas à faire des farces ou des calembours, à essayer délibérément d'être drôle. Il implique que l'on voie l'ironie fondamentale de la juxtaposition des extrêmes, de telle sorte que l'on ne puisse plus les prendre au sérieux, et que l'on n'entre pas sérieusement dans leur jeu de peur et d'espoir. C'est bien pourquoi l'expérience du sentier spirituel est tellement significative, et pourquoi la pratique de la méditation est bien l'expérience la plus insignifiante du monde. Elle est insignifiante parce qu'on ne porte aucun jugement de valeur sur elle. Une fois que l'on est absorbé dans cette situation insignifiante d'ouverture sans jugement de valeur, on commence à voir tous les jeux autour de soi. Voici quelqu'un qui essaie d'être sévère et spirituellement solennel, il veut être bon. Une telle personne prendra sans doute les choses au sérieux et, si on l'offense, peut-être voudra-t-elle se battre. Si l'on travaille en accord avec la banalité fondamentale de ce qui est, on commence à voir l'humour de ce type de solennité, des gens qui font tellement de bruit autour des choses.

Q. La plupart des arguments que j'ai entendus en faveur de l'action juste et de la parole juste disent : Accumulez d'abord du mérite, soyez bon, abandonnez le mal; et ensuite ce sera encore plus facile d'abandonner les « blocages du bon ». Que pensez-vous de cette approche?

R. Si nous la regardons du point de vue du sens de l'humour, l'idée d' « abandonner » semble un peu trop littérale et naïve. Si vous vous efforcez d'être bon et de tout abandonner, ironiquement, rien n'est abandonné du tout; l'accumulation continue. C'est le côté amusant de la chose. On peut se croire capable d'abandonner le lourd fardeau que l'on transporte, mais l'absence du fardeau, l'abandon est plus lourd, des centaines de fois plus lourd que ce qu'on laisse derrière soi. Il est facile d'abandonner quelque chose, mais le sous-produit d'une telle renonciation peut bien s'avérer être une vertu extrêmement pesante. Chaque fois que vous rencontrez quelqu'un, vous penserez ou vous lui direz : « J'ai abandonné ceci et cela. » L' « abandon » peut devenir de plus en plus lourd, comme si l'on transportait un lourd sac de grains sur le dos. Finalement, ce peut devenir une grosse moisissure. Vous la transportez, et elle n'arrête pas de grandir. A un certain moment, une personne peut devenir complètement insupportable tellement elle a abandonné de choses.

Aussi bien, si nous traitons de la pratique de la méditation comme d'une affaire sérieuse, qui porte à conséquence, elle deviendra lourde et embarrassante, saturante. Vous ne serez même plus capable d'y penser. C'est comme lorsque l'on a mangé un plat extrêmement lourd. On est presque malade, et l'on en vient à penser : « J'aimerais avoir faim. Au moins, je me sentirais léger. Mais maintenant j'ai toute cette nourriture dans mon estomac et j'ai presque envie de vomir. Ah! j'aimerais n'avoir jamais mangé! » Il ne faut pas prendre la spiritualité tant au sérieux. C'est du manque de confiance en soi, contraire au véritable sens de l'« abandon ».

Q. Alors un sens du tragique est-il quelque chose qu'une personne illuminée a vaincu?

R. Il n'est pas nécessaire d'être illuminé pour abandonner la tragédie. Si vous êtes impliqué dans l'intensité de situations en crescendo, dans l'intensité tragique, vous pouvez recommencer à en voir aussi l'humour. C'est comme en musique, on entend le crescendo, et puis le silence comme faisant partie de la musique. Ce n'est pas du tout une expérience extraordinaire : c'est très ordinaire, très prosaïque. C'est pourquoi je dis que c'est une des expériences les plus insignifiantes, parce que nous n'y attachons pas de jugement de valeur. L'expérience est à peine là. Bien sûr, si nous employons la distorsion fondamentale de l'ego, nous pouvons continuer, et dire que parce que l'expérience est à peine là et qu'elle est tellement insignifiante, c'est une expérience des plus valables et des plus extraordinaires. Ce serait juste une façon conceptualisée d'essayer de prouver que vous êtes engagé dans quelque chose d'important. Ce n'est *pas* important.

Q. Est-ce que le sens de l'humour est lié, d'une façon ou d'une autre, à l'expérience de l'illumination directe, le *satori?*

R. Certainement. Il y a l'histoire de la personne qui est morte en riant. C'était un simple villageois qui demanda à un maître la couleur d'Amitabha qui, traditionnellement, dans l'iconographie, est le rouge. Par erreur, en quelque sorte, il crut que le maître disait que la couleur d'Amitabha était celle des cendres du foyer. Et cela influença toute sa pratique de la méditation; quand il pratiquait la visualisation d'Amitabha, c'était un Amitabha de couleur grise.

Finalement, il vint à mourir. Comme il était sur son lit de mort, il voulait une certitude; aussi demanda-t-il à un autre maître la couleur d'Amitabha. Le maître dit que la couleur d'Amitabha était le rouge, et l'homme, soudain, éclata de rire : « Eh bien, je croyais que sa couleur était celle des cendres, et maintenant vous me dites qu'il est rouge. » Il mourut en riant. Ainsi faut-il savoir surmonter un certain genre de sérieux.

Il y a beaucoup de récits de gens qui ont effectivement pu voir l'état éveillé en éclatant de rire — en saisissant le contraste, l'ironie de situations polaires. Il y avait par exemple un ermite dont le fidèle vivait à quelques kilomètres, dans un village. Le fidèle entretenait l'ermite, lui fournissait la nourriture, et toutes choses nécessaires à la vie. La plupart du temps, le fidèle envoyait sa femme, sa fille ou son fils, porter les provisions à l'ermite, mais un jour l'ermite entendit dire que son donateur en personne venait le voir. Il pensa : « Il faut que je fasse bonne impression. Je vais nettoyer et polir les objets de l'autel, bien arranger l'autel et rendre ma chambre impeccable. » Aussi nettoya-t-il et arrangea-t-il tout, jusqu'à ce que son autel soit très impressionnant, avec des bols remplis d'eau et des lampes à beurre très brillantes. Et, lorsqu'il eut fini, il s'assit, et commença à admirer la pièce, à regarder autour de lui. Tout avait l'air très propre, presque irréel, et il s'aperçut que son autel aussi avait l'air presque irréel. Subitement, il réalisa, à sa grande surprise, qu'il était hypocrite. Alors il s'en fut dans la cuisine, revint les mains pleines de cendres et les lança vers l'autel jusqu'à ce que la pièce soit dans un désordre total. Lorsque son patron vint, le naturel de la chambre, le désordre, le frappèrent vivement. L'ermite ne put pas se contenir. Il éclata de rire et dit : « J'ai essayé d'arranger proprement cette chambre et moi-même, et puis j'ai pensé que je devais peut-être vous les montrer dans cet état. » Alors, tous deux, donateur et ermite, éclatèrent de rire. Ce fut pour tous les deux un grand moment d'éveil.

Q. Dans chacune de vos conférences, vous décrivez une situation à laquelle apparemment, on ne peut échapper, dans laquelle nous sommes tous piégés, déjà enlisés. Je me demande seulement si vous voulez laisser entendre qu'il y a une sortie?

R. Voyez-vous, tout le problème est que si l'on parle tout le temps de la sortie, alors on verse dans le fantasme, on rêve d'évasion, de salut, d'illumination. Il nous faut être pratique.

Examiner ce qui est ici, maintenant, notre esprit névrotique. Une fois que nous sommes complètement familiers avec les éléments négatifs de notre façon d'être, nous connaissons automatiquement la « sortie ». Mais si nous commençons à parler de la beauté et de la joie qui nous saisiront lorsque nous atteindrons le but, alors nous devenons extrêmement sincères et romantiques à la fois; et cette approche devient un obstacle.

Soyez concret — comme chez le médecin si vous êtes malade. Si un médecin doit vous traiter, il faut d'abord qu'il sache ce qui ne va pas chez vous. Il ne s'agit pas de savoir ce qui va bien; c'est hors du sujet. Dire au docteur ce qui ne va pas, c'est la seule façon de sortir de votre maladie. C'est bien pourquoi le Bouddha enseigna les Quatre Nobles Vérités, son premier enseignement. On commence par prendre conscience de la souffrance, *duhkha*. Et puis, une fois que l'on a pris conscience de duhkha, on va jusqu'à l'origine de la souffrance, le sentier de la libération. Le Bouddha n'a pas commencé par enseigner la beauté de l'expérience de l'illumination.

Q. Lorsque je suis les modèles habituels d'évaluation et de jugement, je me prends à penser que les erreurs et les obstacles décrits dans vos dernières conférences sont en quelque sorte plus avancés que ceux dont vous aviez parlé dans les premières. Est-ce exact?

R. Oui. Même après que l'on s'est engagé dans le sentier comme c'est le cas pour les bodhisattvas, une fois que l'on a commencé à s'éveiller, il se peut que l'on ait tendance à analyser cet état d'éveil. Cela implique que l'on se regarde, que l'on analyse et que l'on évalue, et cela se poursuit jusqu'à ce que l'on reçoive un grand coup qui est appelé *samadhi-semblable au vajra*. C'est le dernier état de *samadhi* [1] dans la

1. Concentration *(NdT)*.

méditation. La réalisation de l'illumination est appelée *« semblable au vajra*[1] *»* parce qu'elle ne se fait plus bafouer; elle fait voler en éclats tous nos jeux. Dans le récit de la vie du Bouddha, il est question des tentations de Mara, qui sont extrêmement subtiles. La première tentation est la séduction par les filles de Mara. Cette séduction, la séduction du matérialisme spirituel, est extrêmement puissante parce que c'est la pensée séduisante que l'on a accompli quelque chose. Si nous pensons que nous avons accompli quelque chose, que « ça y est », eh bien, nous sommes sous le charme des filles de Mara, le charme du matérialisme spirituel.

1. En sanscrit, Diamant-Foudre. Se dit *Dorjê* en tibétain *(NdT).*

Le développement de l'ego

Comme nous allons examiner le sentier bouddhiste du début à la fin, de l'esprit du débutant à l'esprit illuminé, je crois qu'il vaudrait mieux commencer par quelque chose de très concret et réaliste, le champ que nous allons cultiver. Il serait un peu fou d'étudier des sujets avancés avant d'être familiarisés avec le point de départ, la nature de l'ego. Un de nos dictons du Tibet dit qu'il est vain de prendre la langue avant que la tête soit cuite à point. Toute pratique spirituelle exige cette compréhension fondamentale du point de départ, le matériau avec lequel nous travaillons.

Si nous ne connaissons pas le matériau avec lequel nous travaillons, notre étude ne sert à rien : les spéculations sur le but à atteindre deviennent une pure fantaisie. Ces spéculations peuvent prendre la forme d'idées avancées et de descriptions d'expériences spirituelles, mais elles ne font qu'exploiter les aspects les plus faibles de la nature humaine, notre attente et notre désir de voir et d'entendre quelque chose de coloré, d'extraordinaire. Si nous commençons notre étude en rêvant d'extraordinaire, d'« illumination » et d'expériences dramatiques, nous édifierons tout un système d'attente et d'idées préconçues, de telle sorte que, plus tard, lorsque nous travaillerons véritablement sur le sentier, nos esprits seront bien plus occupés par ce qui *sera* que par ce qui *est*. C'est ne pas leur rendre service, et avoir un rôle destructeur, que de jouer sur les faiblesses des gens, leurs attentes et leurs

6. *Portrait du Samsara.*

rêves, au lieu de leur présenter de façon réaliste le point de départ, ce qu'ils sont.

Il est dès lors nécessaire de partir de ce que nous sommes et de la raison de notre recherche. En général, les traditions religieuses traitent ce matériau, partant diversement d'*alaya-vijnana*[1], du péché originel, ou des fondements de l'ego. La plupart des religions font référence à ce matériau d'une façon péjorative, en quelque sorte, mais je ne pense pas que ce soit une chose si choquante ni si terrible. Nous n'avons pas à avoir honte de ce que nous sommes. En tant qu'être doués de sensibilité, nous avons de merveilleux terrains. Ces terrains peuvent ne pas être particulièrement illuminés, ou paisibles, ou intelligents. Cependant, notre sol est assez bon pour être cultivé; nous pouvons tout y planter. Par suite, lorsque nous traitons de ce sujet, nous ne condamnons ni n'essayons d'éliminer la psychologie de notre ego; nous la reconnaissons, purement et simplement, pour ce qu'elle est. En fait, la compréhension de l'ego est la base du bouddhisme. Aussi, voyons un peu comment l'ego se développe.

Il y a essentiellement un espace libre, le *terrain fondamental,* ce que nous sommes réellement. L'état le plus primordial de notre esprit, avant la création de l'ego, est ouverture fondamentale, liberté fondamentale, une qualité spacieuse. Nous avons cette ouverture et nous l'avons toujours eue. Prenons par exemple notre vie quotidienne et nos modèles de pensée. Lorsque nous voyons un objet, dans l'instant premier, il y a une perception soudaine dépourvue de toute logique et de toute conceptualisation; nous percevons simplement la chose dans le terrain ouvert. Alors, immédiatement, nous paniquons, et nous nous empressons d'essayer d'y ajouter quelque chose, de la nommer, ou bien de trouver des cases pour la localiser et de catégoriser. Le processus se développe graduellement à partir de là.

1. Le réservoir inconscient *(NdT).*

Ce développement ne prend pas la forme d'une entité solide. Il est plutôt illusoire, croyance erronée en un « soi-même » ou « ego ». L'esprit confus a tendance à se voir comme une chose solide et durable, mais c'est seulement un rassemblement de tendances, d'événements. Dans la terminologie bouddhiste, on parle de ce rassemblement comme des Cinq *Skandhas,* ou Cinq Agrégats. Aussi peut-être pourrions-nous en passer par le développement intégral des Cinq Skandhas.

Le point de départ est qu'il y a l'espace, ouvert, n'appartenant à personne. Il y a toujours l'intelligence primordiale, liée à l'espace et à l'ouverture. *Vidya,* ce qui signifie « intelligence » en sanscrit — la précision, une acuité spacieuse, où il y a de la place pour tout mettre, pour tout déplacer. C'est comme une salle spacieuse dans laquelle on a la place de danser, où l'on ne court pas le risque de se cogner contre les objets ou de les renverser, parce que l'espace est complètement ouvert. Nous *sommes* cet espace, nous sommes *un* avec lui, avec vidya, l'intelligence et l'ouverture.

Mais si nous sommes cela tout le temps, d'où est venue la confusion, où l'espace est-il parti, que s'est-il passé? Rien, à vrai dire. Nous avons juste commencé à nous agiter un peu trop dans cet espace. Comme c'est spacieux, on a envie de danser; mais notre danse devient un peu trop active, nous commençons à tournoyer un peu plus qu'il n'était nécessaire pour exprimer l'espace. C'est à ce moment que l'on devient conscient de *soi,* conscient que « je » suis en train de danser dans l'espace.

Parvenus à ce point, l'espace n'est plus l'espace en tant que tel. Il se solidifie. Au lieu d'être un avec l'espace, nous le ressentons comme une entité séparée, tangible. C'est la première expérience de la dualité — l'espace et moi, moi qui suis en train de danser dans cet espace, et cette qualité spacieuse est une chose solide, séparée. La dualité signifie « l'espace et moi », plutôt que d'être complètement un avec l'espace. C'est la naissance de la « forme », de l' « autre ».

Alors survient une espèce de trou noir, en ce sens que nous oublions ce que nous sommes en train de faire. Une halte soudaine, une pause; et faisant volte-face, nous « découvrons » l'espace solide, comme si nous n'avions absolument rien fait auparavant, comme si nous n'étions pas les créateurs de toute cette solidité. Il y a un trou. Ayant créé l'espace solide, celui-ci nous bouleverse et nous commençons à nous y perdre. Il y a un trou noir et puis, soudainement, un réveil.

Lorsque nous nous réveillons, nous refusons de voir l'espace comme ouverture, nous refusons de voir ses qualités douces et aérées. Nous l'ignorons complètement, ce qui s'appelle *avidya. A* signifie « négation » et *vidya,* « intelligence », aussi est-ce la « non-intelligence ». Parce que cette extrême intelligence s'est transformée en perception de l'espace solide, parce que cette intelligence aiguë, précise, lumineuse est devenue statique, on la nomme avidya, « ignorance ». Nous ignorons délibérément. Cela ne nous satisfait pas de danser simplement dans l'espace, nous voulons un partenaire, et nous choisissons l'espace comme partenaire. Si nous choisissons l'espace comme partenaire dans la danse, nous souhaitons alors naturellement qu'il danse avec nous. Pour le posséder comme un partenaire, il nous faut le solidifier, et ignorer sa qualité fluide et ouverte. C'est avidya, l'ignorance de l'intelligence, c'est l'apogée du Premier Skandha, la création de la Forme-Ignorance.

En fait, le skandha de la Forme-Ignorance, revêt trois aspects ou stades différents, que nous pourrions examiner en recourant à une autre métaphore. Supposons une plaine primordiale, rase, sans arbres ni montagnes, un territoire complètement ouvert, un simple désert, sans caractéristiques particulières. C'est ainsi que nous sommes, ce que nous sommes. Nous sommes très simples et fondamentaux. Et pourtant, le soleil brille, la lune resplendit, il y a de la lumière et des couleurs, la texture du désert. Il y a en quelque sorte la sensation de l'énergie qui joue entre ciel et terre. Et cela continue.

Et puis, étrangement, il y a soudain quelqu'un pour remarquer tout cela. C'est comme si l'un des grains de sable avait levé la tête et commencé à regarder autour de lui. Nous sommes ce grain de sable, arrivant à la conclusion de notre état séparé. C'est la « Naissance de l'Ignorance » à son premier stade, une sorte de réaction chimique. La dualité a commencé.

Le second stade de la Forme-Ignorance est nommé « l'Ignorance Née à l'intérieur ». Une fois que l'on a remarqué que l'on est séparé, on croit qu'il en a toujours été ainsi. C'est un mouvement gêné, instinctif, vers la conscience de soi. C'est aussi notre excuse pour rester séparé, grain de sable individuel. C'est un type d'ignorance agressive, mais sans donner au mot sa connotation de colère; les choses n'en sont pas encore là. Il s'agit plutôt d'agression en ce sens que l'on se sent mal à l'aise, déséquilibré et que l'on essaie d'assurer le terrain et de se faire un abri. C'est l'attitude qui consiste à être un individu séparé et confus, c'est tout. On s'est identifié comme séparé du paysage primordial d'espace et d'ouverture.

Le troisième type d'ignorance est l' « Ignorance qui s'observe Elle-Même ». On s'observe, on a la sensation de se voir comme un objet extérieur, ce qui conduit à la notion primaire de l' « autre ». On commence à entretenir une relation avec le soi-disant monde « extérieur ». C'est pourquoi ces trois étapes de l'ignorance constituent le Skandha de Forme-Ignorance; on commence à créer le monde des formes.

Aussi, lorsque nous parlons de l'ignorance, ne s'agit-il pas du tout de la stupidité. Dans un sens, l'ignorance est très intelligente, mais c'est une intelligence complètement à sens unique. C'est-à-dire que l'on réagit uniquement à ses propres projections au lieu de voir simplement ce qui est.

Il n'y a aucune situation de laisser-être puisque l'on ignore perpétuellement ce que l'on est. Telle est donc la définition fondamentale de l'ignorance.

Le développement suivant est la mise au point d'un mécanisme de défense pour protéger notre ignorance. Ce mécanisme de défense est la Sensation, le Second Skandha. Ayant ignoré, d'ores et déjà, l'espace ouvert, nous souhaiterions sentir ensuite les qualités de l'espace solide, en vue d'atteindre à la plénitude de la qualité préhensive que nous développons. Bien sûr, l'espace n'est pas seulement l'espace dépouillé puisqu'il contient couleur et énergie. Il y a des manifestations de couleur et d'énergie saisissantes, magnifiques et pittoresques. Mais nous avons ignoré tout cela. Il y a à la place une version solidifiée de cette couleur; et la couleur devient de la couleur capturée, l'énergie de l'énergie capturée, parce que nous avons solidifié tout l'espace, que nous l'avons fait « autre ». Ainsi commençons-nous à atteindre et à sentir les qualités de l' « autre ». Ce faisant, nous nous rassurons sur notre existence. « Si je puis sentir cela là-bas, alors je dois être ici. »

Lorsque quelque chose survient, nous nous efforçons de sentir si la situation est séduisante, menaçante ou neutre. A chaque fois qu'il y a une brusque séparation, le sentiment de ne pas connaître le lien entre « ceci » et « cela », nous avons tendance à tâter notre terrain. Tel est le mécanisme extrêmement efficace de la sensation que nous commençons à élaborer, le Second Skandha.

Le mécanisme suivant en vue d'assurer plus avant l'ego est le Troisième Skandha, Perception-Impulsion. Nous commençons à être fascinés par notre propre création, les couleurs statiques et l'énergie statique. Nous voulons établir une relation avec elles, aussi commençons-nous graduellement à explorer notre création.

Pour que l'exploration soit efficace, il nous faut une sorte de standard, de table de contrôle du mécanisme de la sensation. La sensation transmet son information au centre de contrôle, c'est l'acte de la perception. En fonction de cette information, nous formons des jugements, nous réagissons. Le caractère positif, négatif ou indifférent de la réaction est automatiquement déterminé par cette bureaucratie de la sensation et de la perception. Si nous percevons une situation comme menaçante, nous l'écartons de nous. Si elle nous séduit, nous l'attirons à nous. Si nous la trouvons neutre, nous restons indifférents. Ce sont les trois types d'impulsion : haine, désir et stupidité. Ainsi la perception se réfère-t-elle à la réception d'informations du monde extérieur, et l'impulsion à notre réponse à cette information.

Le développement suivant est le Quatrième Skandha, le Concept. La Perception-Impulsion est une réaction automatique à une sensation intuitive. Ce type de réaction automatique n'est pas réellement une défense suffisante pour protéger notre ignorance et garantir notre sécurité. Pour nous protéger et nous illusionner intégralement, correctement, nous avons besoin de l'intellect, de la capacité de nommer et de catégoriser les objets. Aussi étiquetons-nous les choses et les événements comme « bon », « mauvais », « beau », « laid », et ainsi de suite, en fonction de l'impulsion qui nous paraît adéquate.

Ainsi la structure de l'ego devient-elle graduellement de plus en plus lourde, de plus en plus forte. Jusqu'à ce stade, le développement de l'ego était purement un processus d'action et de réaction, mais, à partir de maintenant, l'ego se développe progressivement au-delà de l'instinct simiesque et devient plus sophistiqué. Nous commençons à faire l'expérience de la spéculation intellectuelle, nous nous confirmons et interprétons en nous plaçant dans des situations logiques ou interprétables. La nature fondamentale de l'intellect est tout à fait logique. Naturellement, il aura tendance à travailler en vue d'établir des conditions positives : en vue de valider notre expérience, d'interpréter la faiblesse en termes de force, de fabriquer une logique sécurisante, en un mot, de confirmer notre ignorance.

On pourrait dire que, dans un certain sens, l'intelligence primordiale opère tout le temps, mais est mise au service de la fixation dualiste, de l'ignorance. Dans les premiers stades du développement de l'ego, cette intelligence opère comme acuité intuitive de la sensation. Plus tard, sous la forme de l'intellect. En fait, il semble bien que la chose nommée ego ne corresponde à rien du tout; « je suis » n'existe pas. C'est l'accumulation de toutes sortes de bric-à-brac. C'est une « brillante œuvre d'art », un produit de l'intellect qui dit « donnons-lui un nom, appelons-le " je suis " », ce qui est très astucieux. « Je » est le produit de l'intellect, la marque de fabrique qui réunit en un tout le développement désorganisé et dispersé de l'ego.

Le dernier stade du développement de l'ego est le Cinquième Skandha, la Conscience. A ce niveau, un amalgame prend place : l'intelligence intuitive du Second Skandha, l'énergie du Troisième et l'intellectualisation du Quatrième se combinent pour produire les pensées et les émotions. C'est au niveau du Cinquième Skandha que nous trouvons les Six Mondes, ainsi que les modèles incontrôlables et illogiques de la pensée discursive.

Voilà donc tracé complètement le portrait de l'ego, c'est dans cet état que nous sommes tous lorsque nous arrivons à l'étude de la psychologie et de la méditation bouddhistes.

Dans la littérature bouddhiste, une métaphore est communément utilisée pour décrire l'ensemble de ce processus de la création et du développement de l'ego. On parle d'un singe emprisonné dans une maison vide, une maison percée de cinq fenêtres représentant les cinq sens. Ce singe est très curieux : il sort sa tête par chacune des fenêtres et il n'arrête pas de sauter de-ci de-là, inquiet. C'est un singe captif dans une maison vide. La maison est solide, ce n'est pas la jungle dans laquelle le singe bondissait et se balançait accroché aux lianes, ni les arbres dans lesquels il pouvait entendre souffler le vent et frémir les branchages et les feuillages. Toutes ces choses ont été complètement solidifiées. En fait, la jungle elle-même est devenue sa maison solide, sa prison. Au lieu de se percher dans un arbre, notre singe curieux a été emmuré dans un monde solide, comme si une chose fluide, une cascade dramatique et belle, avait soudain gelé. Cette maison gelée, faite de couleurs et d'énergies gelées, est complètement immobile. Ce semble être le point où commence le temps, comme passé, présent et futur. Le flux des phénomènes devient du temps solide, tangible, une idée solide du temps.

Le singe curieux se réveille de son trou noir, mais il ne se réveille pas complètement. Il se réveille pour se trouver piégé dans une maison solide, claustrophobique, avec seulement cinq fenêtres. Il commence à s'ennuyer, comme s'il était dans un zoo, derrière une grille, et il s'emploie à explorer les barreaux en grimpant sans cesse. Le fait qu'il ait été capturé n'est pas tellement important; mais notre singe en magnifie mille fois l'idée tellement elle le fascine. Si l'on est fasciné, le sens de la claustrophobie devient de plus en plus vif, de plus en plus aigu, parce que l'on commence à explorer son emprisonnement. En fait, la fascination est en partie cause du fait qu'il demeure emprisonné. Il est capturé par sa fascination. Bien sûr, au début, il y eut ce soudain trou noir qui a confirmé sa croyance en un monde solide. Mais, maintenant, ayant pris la solidité au sérieux, il est pris au piège de cette solidité.

Naturellement, ce singe curieux ne passe pas tout son temps en explorations. Il commence à s'agiter, à ressentir qu'il y a quelque chose de très répétitif et inintéressant, et il tend à devenir névrotique. Affamé de distractions il commence à sentir et à apprécier la texture du mur, il tâche de s'assurer que cette solidité apparente est bien réelle. Alors, une fois sûr que l'espace est bien solide, le singe commence à entretenir avec lui une relation en le saisissant, le repoussant, l'ignorant. S'il essaie de saisir l'espace pour le posséder aux fins de sa propre expérience, de sa propre découverte, de sa propre compréhension, c'est le désir. Ou bien, si l'espace lui semble une prison, de sorte qu'il tente de se frayer une sortie à coups de poing et de pied, dans un combat de plus en plus dur, c'est la haine. La haine n'est pas seulement la mentalité de destruction, c'est encore plus un sentiment défensif, de défense contre la claustrophobie. Le singe n'a pas nécessairement l'impression qu'un opposant ou un ennemi est en train d'approcher; il veut simplement s'échapper de sa prison.

Finalement, le singe essaie d'ignorer qu'il est emprisonné ou que quelque chose l'attire dans ce qui l'entoure. Il joue le sourd-muet, et conserve une attitude indifférente et paresseuse quant à ce qui se passe autour de lui. C'est la stupidité.

Revenant un peu en arrière, nous pourrions dire que le singe est né dans la maison lorsqu'il s'est réveillé du trou noir. Il ne sait pas comment il est parvenu dans cette prison; aussi suppose-t-il qu'il y a toujours été, oubliant qu'il a lui-même solidifié l'espace, lui donnant forme de murs. Puis il sent la texture des murs, ce qui est le Second Skandha, la Sensation. Après cela, il entretient avec la maison des relations de désir, de haine et de stupidité, Troisième Skandha, Perception-Impulsion. Puis, ayant développé ces trois façons de se relier à la maison, le singe commence à la nommer et à la faire entrer dans des catégories : « C'est une fenêtre. Ce coin est agréable. Ce mur m'effraie, il est mauvais. » Il développe une grille conceptuelle avec laquelle il nomme, catégorise et valorise sa maison, son monde, conformément à ses désirs, à ses haines et à ses indifférences. C'est le Quatrième Skandha, le Concept.

L'évolution du singe jusqu'au Quatrième Skandha a été logique et prévisible. Mais ce modèle d'évolution commence à se dégrader lorsque le singe pénètre dans le Cinquième Skandha, la Conscience. Le modèle mental devient irrégulier et imprévisible, et le singe commence à être halluciné et à rêver.

Lorsque nous parlons d' « hallucinations » ou de « rêves »,

cela signifie que nous attachons de la valeur à des choses et à des événements qui n'en ont pas nécessairement. Nous avons des opinions précises sur la façon dont les choses sont et devraient être. C'est la projection : nous projetons notre version des choses sur ce qui est là. Aussi commençons-nous à nous immerger complètement dans un monde qui est notre propre création, un monde de valeurs et d'opinions conflictuelles. L'hallucination, en ce sens, est une pseudo-interprétation des choses et des événements; nous prêtons aux phénomènes des significations qu'ils n'ont pas.

C'est ce dont le singe fait l'expérience au niveau du Cinquième Skandha. Après avoir essayé de s'évader, et avoir échoué dans cette entreprise, il se sent abandonné et sans secours, et commence à devenir complètement fou. Il est très fatigué d'avoir combattu, aussi est-il tentant pour lui de se défendre et de laisser son esprit vagabonder dans l'hallucination. C'est la création des *Six Lokas,* les Six Royaumes ou Six Mondes. Il est largement question, dans la tradition bouddhiste, des créatures infernales et célestes, du monde des humains, de l'univers animal, et d'autres états psychologiques de l'être. Ce sont les différentes formes de projections, les mondes rêvés que nous nous créons.

Ayant lutté pour s'évader et vu l'échec de ses efforts, ayant fait l'expérience de la claustrophobie et de la souffrance, le singe commence à aspirer à quelque chose de bon, de beau et de charmeur. Aussi a-t-il d'abord l'hallucination du *Deva Loka,* le Monde des Dieux, le « ciel », un lieu empli de choses magnifiques. Le singe rêve qu'il est sorti de la maison, il se promène dans une nature luxuriante et mange des fruits mûrs, s'assied dans les arbres et y joue; il mène une vie libre et heureuse.

Et puis vient l'hallucination du Royaume des *Asura,* le Monde des Dieux Jaloux. Ayant fait l'expérience du rêve céleste, le singe veut défendre et maintenir son bonheur et sa félicité. Il devient paranoïaque, il a peur que les autres n'essaient de lui arracher son trésor; aussi éprouve-t-il de la jalousie. Il est fier de lui, il a joui de sa création du Monde des Dieux, et cela l'a mené à la jalousie du Monde des Asura.

Alors, il perçoit la qualité terrienne de ces expériences. Au lieu de faire alterner simplement la jalousie et l'orgueil, il commence à se tenir à l'aise, chez lui, dans le « monde des hommes », le « monde terrestre ». C'est le monde où l'on mène une vie normale, où l'on fait des choses ordinaires, de façon prosaïque. C'est le Monde Humain.

Mais le singe se rend bientôt compte qu'il y a là quelque chose d'ennuyeux, quelque chose qui ne coule pas tout à fait. C'est que, au fur et à mesure qu'il a avancé du Monde Divin au Monde des Dieux Jaloux puis au Monde Humain, ses hallucinations se faisaient de plus en plus solides, et tout cet enchaînement commençait à devenir plutôt lourd et stupide. A ce stade, le voici né dans le Monde Animal. Il préfère aller à quatre pattes, meugler ou aboyer, plutôt que d'éprouver de l'orgueil ou du désir. C'est la simplicité animale.

Puis le processus s'intensifie, et le singe commence à éprouver un sentiment désespéré de nostalgie, car il ne souhaite vraiment pas descendre dans les mondes inférieurs. Il aimerait retourner à l'univers merveilleux des dieux, aussi commence-t-il à ressentir la faim et la soif, une terrible nostalgie de ce qu'il se souvient avoir un jour connu. C'est le Monde des Fantômes Affamés ou Royaume des *Preta*.

Alors, soudainement, le singe perd confiance, il commence à réagir violemment. Tout devient un terrible cauchemar. Et il réalise qu'un tel cauchemar ne peut pas être réel, et commence à se haïr lui-même pour avoir créé toute cette horreur. C'est le rêve du Monde Infernal, le dernier des Six Mondes.

Tout au long du développement des Six Mondes, le singe a connu les pensées discursives, les idées, les fantasmes, et tous les modèles mentaux. Jusqu'au niveau du Cinquième Skandha le processus de son évolution psychologique a toujours été régulier et prévisible, les développements successifs s'alignaient selon une structure systématique, comme se recouvrent les tuiles d'un toit. Mais, maintenant, le singe est psychiquement très distordu et dérangé; son casse-tête mental éclate brusquement et ses modèles de pensée deviennent irréguliers et imprévisibles. Il semble bien que tel soit notre état d'esprit lorsque nous arrivons à la pratique de la méditation. C'est le lieu duquel nous devons partir, dans notre pratique.

Je crois qu'il est très important d'examiner le fondement du sentier — l'ego, notre confusion — avant de parler de libération et de liberté. Ce serait fort dangereux si je parlais seulement de l'expérience de la libération. C'est pourquoi nous avons commencé par examiner le développement de l'ego. Il s'agit d'une sorte de portrait psychologique de nos états mentaux. Je crains que ce chapitre n'ait pas été particulièrement joli, mais il faut regarder les choses en face. Il semble que ce soit le processus de travail sur le sentier.

Q. Pourriez-vous en dire un peu plus sur ce que vous entendez par « trou noir »?

R. Ce n'est rien de spécialement profond. C'est seulement qu'au niveau du Premier Skandha nous avons déployé de grands efforts pour tenter de solidifier l'espace. Nous avons travaillé si dur et si vite que tout à coup l'intelligence s'effondre. On pourrait dire que c'est une sorte de *satori* [1] inversé, d'expérience inversée de l'illumination, c'est l'expérience de l'ignorance. Vous tombez soudain dans une transe, tellement vous avez travaillé dur. Toute cette solidité est quelque chose que vous avez vraiment *réalisé,* un chef-d'œuvre. Une fois que vous l'avez complètement achevée, brusquement, elle vous submerge. A sa façon, c'est une méditation, une sorte de *samadhi* à l'envers.

1. Éveil *(NdT).*

Q. Croyez-vous qu'il faille être conscient de la mort pour être vraiment vivant?

R. Je ne crois pas qu'il faille être particulièrement conscient de la mort, qu'il faille l'analyser, il faut simplement voir ce que l'on est. On a souvent tendance à regarder le côté positif, la beauté et la spiritualité, et à ignorer ce que l'on est. C'est le plus grand danger. Nous nous engageons dans l'introspection et l'auto-analyse lorsque notre pratique spirituelle recherche une ultime analyse, une ultime auto-illusion. L'intelligence de l'ego est extrêmement douée. Elle arrive à tout distordre. Si l'on prend les notions de spiritualité, d'auto-analyse, ou de transcendance de l'ego, immédiatement l'ego s'en empare et les transforme en auto-illusion.

Q. Lorsque le singe commence à être halluciné, en a-t-il déjà fait l'expérience auparavant? D'où vient l'hallucination?

R. C'est une sorte d'instinct. Un instinct secondaire, l'instinct simiesque, que nous avons tous. Si l'on souffre, on connaîtra l'hallucination du plaisir, par contraste. Il faut que l'on se défende, que l'on établisse son territoire.

Q. Munis seulement du niveau de conscience qui est maintenant le nôtre, ne sommes-nous pas condamnés à une lutte désespérée à ce niveau, à moins qu'il nous soit possible de revenir à l'espace que vous nous avez décrit?

R. Bien sûr, nous allons nous battre tout le temps, il n'y a pas de fin. Nous pourrions parler à l'infini de la succession des combats que nous allons endurer. Il n'y a aucune solution, à l'exception de ce que vous avez dit, essayer de retrouver l'espace primordial. Sinon, nous restons bloqués dans l'attitude psychologique du *ceci* opposé au *cela,* ce qui est un obstacle. Nous sommes toujours en train de combattre un ennemi. La lutte ne s'arrête jamais. La dualité est le problème, la guerre entre moi et mon ennemi.

La pratique de la méditation est une façon de travailler complètement différente. Nous avons à changer l'ensemble de notre attitude et de notre mode de vie. Il nous faut modifier intégralement notre politique, pour ainsi dire. Cela peut s'avérer fort douloureux. On se demande tout à coup : « Si je ne me bats plus, que vais-je faire en face de mes ennemis? C'est très beau tout ça, de ne plus combattre, mais quant à eux? Ils seront encore là. » C'est le point intéressant.

Q. Voir le mur, reconnaître qu'on est là, et ne pas aller plus loin, cela semble une position très dangereuse.

R. Précisément, ce n'est pas dangereux. Ce peut être douloureux à la longue de réaliser que le mur est solide et que l'on est emprisonné, mais c'est le point intéressant.

Q. Mais ne venez-vous pas de dire que le retour à l'autre état, à l'espace ouvert, est instinctif?

R. Bien sûr, mais le singe ne veut plus se laisser *être,* simplement. Il ne cesse de se battre, ou bien d'être halluciné. Il ne s'arrête jamais, il ne se permet jamais de sentir vraiment quelque chose correctement. C'est le problème. Et c'est pourquoi simplement s'arrêter, se payer une pause, est le premier pas dans la pratique de la méditation.

Q. Imaginons que l'on ait un blocage, une inhibition, et qu'on en soit très conscient. Est-ce que l'inhibition disparaîtra par la seule prise de conscience?

R. Nous n'avons pas à essayer de nous figurer comment nous allons sortir du dilemme, c'est toute la question. Pensons à toutes les chambres claustrophobiques dans lesquelles nous sommes enfermés. Tel est le premier pas vers la connaissance. Repérons-nous correctement, sentons-nous réellement. Cela nous donnera l'inspiration pour pousser plus loin notre étude. Ne parlons pas encore de nous libérer, cela vaut mieux.

Q. Peut-on dire de ces chambres claustrophobiques qu'elles sont des fabrications de l'intellect?

R. L'intensité de l'intelligence primordiale déclenche sans cesse la fuite. Il ne faut donc pas considérer toutes ces activités du singe comme quelque chose dont il nous faut nous évader, mais comme une production de l'intelligence primordiale. Plus nous essaierons de lutter, et plus nous découvrirons que les murs sont réellemet solides. Plus nous mettrons d'énergie dans le combat, et plus nous renforcerons les murs, parce qu'ils ont besoin de notre attention pour être solides. Si nous leur prêtons plus d'attention, nous commençons à sentir que notre situation est sans espoir.

Q. Que perçoit le singe lorsqu'il regarde hors de la maison par les cinq fenêtres?

R. Eh bien, il perçoit l'est, l'ouest, le sud et le nord.

Q. Quelle impression cela lui fait-il?

R. Un monde carré [1].

Q. Et que voit-il au-dehors?

R. Eh bien, un monde carré, puisqu'il regarde par la fenêtre.

Q. Il ne voit rien au loin?

1. *Square,* en jargon « hip » américain, signifie aussi : conventionnel, formaliste, vieux jeu *(NdT).*

R. Il peut le faire. Mais c'est encore un tableau carré, comme un tableau accroché au mur, n'est-ce pas?

Q. Qu'arrive-t-il au singe s'il prend un peu de LSD ou de peyotl?

R. Il en a déjà pris.

Les Six Mondes

Lorsque nous avons abandonné le singe, il était dans le Monde Infernal, en train d'essayer de se frayer un chemin à travers les murs de sa maison à coups de poing et de pied. Les expériences du singe dans le Monde Infernal sont tout à fait terrifiantes et horribles. Il se retrouve en train d'errer sur d'immenses plaines de fer chauffé au rouge, ou bien on l'enchaîne, on le découpe en morceaux et on le fait rôtir sur de grandes broches, ou mijoter dans d'énormes chaudrons. Ces hallucinations, et toutes celles de l'Enfer, sont engendrées par un milieu claustrophobique et agressif. On se sent pris au piège dans un espace réduit, sans air à respirer ni place où bouger. Pris au piège, le singe ne tente pas seulement de détruire les murs de sa prison; il va jusqu'à essayer de se tuer pour échapper à sa souffrance atroce et continuelle. Mais il n'y parvient pas, et ses tentatives de suicide ne font qu'intensifier le supplice. Plus il s'acharne à détruire ou contrôler les murs, plus ceux-ci deviennent solides et oppressants, jusqu'à ce que, à un certain moment, son intensité agressive s'émousse un peu; alors, plutôt que de se taper la tête contre les murs, il cesse d'entretenir une relation avec eux, il stoppe la communication. Il se paralyse, se glace, reste enveloppé dans la douleur sans plus s'agiter pour y échapper. C'est là qu'intervient l'expérience des divers supplices qui consistent à errer dans des zones glacées, dénudées et désolées.

Cependant, vient le moment où le singe commence à être épuisé par sa lutte. L'intensité du Monde Infernal se met à décroître, le singe commence à se détendre, et il entrevoit soudain la possibilité d'un mode d'être plus ouvert, plus spacieux. Il soupire après ce nouvel état, et c'est le Monde des Fantômes Affamés ou Preta Loka : il se sent appauvri et aspire à la délivrance. Dans le Monde Infernal, il était trop occupé à se débattre pour avoir seulement le temps de considérer la possibilité du soulagement. Maintenant, il désire avidement des conditions plus agréables et spacieuses, et il se met à fantasmer sur les nombreux moyens d'y parvenir. Il se peut qu'il imagine voir dans le lointain un espace ouvert, et qu'en s'approchant, il découvre un immense désert terrifiant. Ou bien il discerne un grand arbre fruitier et, en allant plus près, il s'aperçoit qu'il est stérile, ou gardé par quelqu'un. Ou bien le singe s'envole peut-être jusqu'à une vallée apparemment riche et fertile, pour la trouver emplie d'insectes venimeux et des odeurs repoussantes de la végétation pourrissante. Dans chacun de ses fantasmes, il entrevoit la possibilité d'une satisfaction, et rencontre vite la déception. A chaque fois qu'il est sur le point de réaliser son désir, il est brutalement tiré de son rêve idyllique; mais sa faim est tellement exigeante qu'il n'est nullement découragé et qu'il ne cesse pas de susciter de nouveaux fantasmes de satisfaction à venir. La douleur de la déception l'entraîne dans une relation d'amour-haine avec ses rêves. Ses rêves le fascinent, mais la déception est tellement douloureuse que ceux-ci le repoussent également.

Les tourments du Monde des Fantômes Affamés ne consistent pas tant à ne jamais trouver ce que l'on cherche; c'est plutôt la faim insatiable en elle-même qui est cause de souffrance. Il est probable que si le singe découvrait de grandes quantités de nourriture, il n'y toucherait pas du tout; ou bien il mangerait tout et ensuite il en désirerait plus. Il est fondamentalement fasciné par le fait d'*avoir* faim bien plus que par la *satisfaction* de cette faim. La très rapide frustration de ses tentatives pour satisfaire sa faim lui permet de retrouver bientôt la condition affamée. Ainsi, la souffrance et la faim du Preta Loka, comme les agressions du Monde Infernal et les sollicitations des autres mondes, fournissent-elles au singe quelque chose d'excitant, qui l'occupe, quelque chose de solide à quoi se rapporter, quelque chose qui lui donne le sentiment de la sécurité, qui lui prouve qu'il est une personne réelle dotée d'existence. Il a peur d'abandonner cette sécurité et cette distraction, peur de s'aventurer dans l'univers inconnu de l'espace ouvert. Il préfère rester dans sa prison familière, quelque douloureuse et oppressante qu'elle puisse être.

Cependant, comme le singe est frustré de façon répétée dans ses tentatives de satisfaction fantasmatique, il commence à la fois à s'aigrir et à se résigner. Sa faim s'atténue, il se détend un peu, et rentre dans une série de réponses stéréotypées au monde. Il ignore toute autre façon de réagir aux expériences de la vie, se fie toujours à la même série de réponses et, de cette façon, limite son univers : un chien renifle tout ce qu'il rencontre, un chat ne prête aucun intérêt à la télévision. C'est le Monde Animal, le monde de la stupidité. Le singe s'aveugle pour ne pas voir ce qui l'entoure, il refuse d'explorer de nouveaux territoires, il s'accroche à ses attirances et à ses dégoûts familiers. Il est intoxiqué par son monde rassurant, étanche et quotidien; il concentre son attention sur ses objectifs familiers et les poursuit avec une détermination obstinée et inébranlable. Aussi le symbole du monde animal est-il le cochon. Un cochon mange tout ce qui se présente sous son nez. Il ne regarde ni à droite, ni à gauche; il dévore ce qui est devant lui, simplement. Cela ne le dérange pas d'avoir à traverser une fosse de purin ou d'affronter d'autres obstacles; il suit tout droit son sillon.

Mais il advient que le singe commence à réaliser qu'il lui est loisible d'opérer un choix dans ses plaisirs et ses souffrances. Il devient un peu plus intelligent et opère une discrimination entre les expériences agréables et celles qui lui sont pénibles, dans un effort pour maximiser le plaisir et minimiser la douleur. C'est le Monde Humain, le monde de la passion discriminante. Ici, le singe marque une pause pour examiner ce qu'il cherche à atteindre. Il discrimine, il examine les alternatives, il pense plus, et dès lors espère et craint plus. C'est le Monde Humain, le monde de la passion et de l'intellect. Le singe devient plus intelligent. Il ne se contente plus de saisir; il explore, sent les textures, compare les choses. S'il décide qu'il veut quelque chose, il tâche de s'en saisir, de l'attirer à lui et de la posséder. Par exemple, si le singe désire une belle pièce de soie, il va dans plusieurs boutiques, et palpe la texture des étoffes pour voir si l'une d'entre elles correspond exactement à ce qu'il désire. Et lorsqu'il découvre la pièce de tissu qui correspond précisément à son idée préconçue, ou celle qui s'en approche le plus, il dit : « Ah, c'est bien. C'est beau, n'est-ce pas? Je crois que ça vaut la peine que je l'achète. » Il achète la pièce de soie et la rapporte chez lui, il la montre à ses amis, leur demande de la palper et d'en apprécier la douce texture. Dans le Monde Humain, le singe est toujours occupé à se demander comment il va posséder des objets de plaisir : « Peut-être pourrais-je acheter un ours en peluche pour le mettre dans mon lit — quelque chose de gentil, de doux, de chaud et velu contre quoi me pelotonner. »

Mais le singe découvre que, bien qu'il soit intelligent et puisse manipuler son monde pour en tirer quelque plaisir, il ne peut pas toujours obtenir ce qu'il recherche, ni conserver le plaisir. Il est affecté par la maladie, la vieillesse, la mort — par la frustration et les problèmes de toutes sortes. La douleur est la compagne de chaque instant de ses plaisirs.

Aussi en vient-il, tout à fait logiquement, à se figurer la possibilité d'un ciel, de la complète élimination de la souffrance et de la réalisation de la jouissance. Sa version du ciel sera peut-être une richesse, un pouvoir ou une renommée poussés à l'extrême — tout ce qu'il souhaiterait rencontrer dans son monde, et il commence à se soucier de réalisation et de compétition. C'est le Royaume des Asura, le Monde des Dieux Jaloux. Le singe rêve d'états idéaux supérieurs aux plaisirs et aux souffrances du Monde Humain, et il tâche, sans cesse, d'atteindre ces états, et d'être meilleur qu'autrui. Dans ce combat incessant en vue d'atteindre quelque espèce de perfection, le singe commence à jauger obsessionnellement son progrès, en se comparant aux autres. En développant un contrôle accru de ses pensées et de ses émotions, et par là même une plus grande concentration, il devient capable de manipuler son univers avec plus de succès que dans le Monde Humain. Mais son désir d'être toujours le meilleur, le maître de la situation, le met en proie à l'insécurité et à l'anxiété. Il lui faut constamment se battre pour contrôler son territoire, et surmonter les obstacles qui menacent ses réalisations. Il se bat sans cesse pour la maîtrise de son monde.

Le désir de remporter la victoire et la peur de perdre la bataille donnent le sentiment d'être vivant aussi bien qu'ils sont cause de souci. Le singe perd constamment de vue son but ultime, mais il est encore dirigé par son désir de s'améliorer. Il est obsédé par la compétition et la réalisation. Il recherche des situations agréables et séduisantes qu'il voit hors de sa portée, et tâche de les attirer dans son territoire. Lorsqu'il ne parvient pas à atteindre le but, il s'écarte de la bataille et se reproche son manque de discipline, et d'enthousiasme au travail. Ainsi le singe est-il pris dans un monde d'idéaux inaccessibles, d'autocritique et de peur de l'échec.

Il se peut toutefois que le singe atteigne son but — devenir millionnaire, chef d'une nation, artiste célèbre. D'abord, lorsqu'il arrive au but, il ne se sent pas encore tout à fait sûr de lui; mais, tôt ou tard, il commence à réaliser qu'il a réussi, qu'il est là, qu'il est au paradis. Alors il commence à se détendre, à apprécier ses réalisations et à les prendre pour abri, en se protégeant contre les objets indésirables. C'est une auto-hypnose, un état naturel de concentration. Cet état de béatitude et de fierté est le Deva Loka, ou Monde des

Dieux. Au sens figuré, les corps des dieux sont faits de lumière. Ils ne sont pas troublés par les soucis terrestres. S'ils veulent faire l'amour, un clin d'œil et un sourire les satisfont. S'ils veulent manger, ils se contentent de diriger leurs esprits vers des plats délicieux, qui les nourrissent. C'est le royaume d'utopie tel que les humains se l'imaginent. Tout arrive facilement, naturellement, automatiquement. Tout ce que le singe entend est musical, tout ce qu'il voit est coloré, tout ce qu'il ressent est délicieux. Il s'hypnotise lui-même, en quelque sorte, il a atteint un état naturel de concentration qui refoule de son esprit tout ce qui pourrait l'irriter ou lui paraître indésirable.

Et puis, le singe découvre qu'il peut aller au-delà des plaisirs sensuels et des jouissances esthétiques du Monde Divin et pénétrer dans la *dhyana,* ou état de concentration du Monde des Dieux sans Forme, qui est l'ultime raffinement des Six Mondes. Il réalise qu'il peut atteindre une jouissance purement mentale, la plus subtile et la plus durable de toutes, qu'il lui est loisible de maintenir sans cesse son sens d'un soi solide en élargissant les murs de sa prison jusqu'à inclure apparemment tout le cosmos, et à vaincre le changement et la mort. D'abord, il se repose sur l'idée d'un espace illimité, infini. Il contemple l'espace infini. Il est ici, l'espace infini est là, et il le contemple. Il projette sur le monde son idée préconçue, crée un espace infini, et se nourrit de cette expérience. Puis, l'étape suivante est la concentration sur l'idée de conscience illimitée. Alors, on ne prend plus seulement abri dans l'espace infini, mais également dans l'intelligence qui perçoit cet espace infini. Et l'ego observe l'espace et la conscience infinis depuis son quartier général. Son empire est complètement établi, même l'autorité centrale ne peut concevoir l'étendue du territoire. L'ego devient une bête immense, gigantesque.

L'ego s'est étendu tellement loin qu'il commence à perdre la trace des limites de son territoire; où qu'il essaie de fixer une frontière, cela lui semble exclure une partie de son domaine. Finalement, il en conclut qu'il n'y a pas moyen de se fixer des limites. La taille de son empire est inconcevable, inimaginable. Dès lors qu'il englobe tout, il ne peut se définir comme ceci ou cela. Aussi l'ego s'attarde-t-il dans l'idée de ni ceci ni cela, l'idée qu'il est lui-même inconcevable ou inimaginable. Mais en définitive, même cet état d'esprit est dépassé lorsque l'ego réalise que l'idée qu'il est inconcevable et inimaginable est déjà en soi une conception. Aussi l'ego s'établit-il dans l'idée de *pas* ni ceci ni cela. L'idée de l'impossibilité d'une quelconque assertion nourrit l'ego, l'enorgueillit, lui permet de s'identifier et, donc, de maintenir sa continuité. C'est le plus haut niveau de concentration et de réalisation qu'un esprit confus, samsarique, puisse atteindre.

Le singe a réussi à atteindre le degré ultime de la réalisation; mais il n'a pas transcendé la logique dualiste dont dépend la réalisation. Les murs de sa maison sont toujours solides, ils ont encore la qualité de l' « autre », dans un sens subtil. Il se peut que le singe ait réalisé un état temporaire d'harmonie, de paix, de félicité par le biais d'un semblant d'union avec ses projections; mais l'ensemble est subtilement figé, c'est un monde clos. Ce singe est devenu aussi solide que les murs, il est devenu Ego. Il est encore soucieux de se sécuriser et de se faire plaisir, encore piégé par des idées fixes et des conceptions touchant le monde et lui-même; il prend encore au sérieux les fantaisies du Cinquième Skandha. Comme son état de conscience est fondé sur la concentration, et comme il prend abri dans la dimension de l'autre, il lui faut sans cesse vérifier et maintenir sa réalisation. « Quel soulagement d'être enfin ici, dans le Monde Divin. Ça y est. J'ai finalement réussi. Mais, voyons... est-ce que ça y est vraiment? Ah! voilà. Là, ça y est. J'y suis. *J'y* suis. » Le singe croit qu'il a réalisé le nirvana, mais en fait il a seulement réalisé un état temporaire d'Ego.

Tôt ou tard, l'absorption se dissipe et le singe commence à paniquer. Il se sent menacé, confus, vulnérable, et plonge dans le Monde des Dieux Jaloux. L'angoisse et l'envie qui règnent au sein du Monde des Dieux Jaloux le submergent, et le singe commence à se demander ce qui ne va plus. Aussi retourne-t-il dans le Monde Humain. Mais le Monde Humain aussi est très douloureux : l'effort continuel qu'on y exerce en vue de se figurer ce qui se passe, ce qui ne va pas, ne fait qu'accroître la souffrance et la confusion. Aussi le singe échappe-t-il aux hésitations et à l'attitude critique de l'intellect humain, et plonge-t-il dans le Monde Animal, où il pioche tranquillement — il ignore ce qui l'entoure, et joue le sourd-muet devant les messages qui risqueraient de menacer ses habitudes familières et exiguës. Mais certains messages du milieu arrivent à filtrer et l'aspiration à quelque chose de plus commence à se développer. La nostalgie du Monde Divin devient très forte et l'intensité du combat en vue d'y retourner s'accroît. Le singe est halluciné par les plaisirs du Monde Divin. Mais il ne tire qu'une brève satisfaction de la production de ses fantasmes d'assouvissement et, très vite, il se trouve à nouveau en proie au désir. La faim du singe ne fait que croître, jusqu'à ce que la frustration périodique le submerge, et il plonge dans une lutte encore plus intense en vue de satisfaire ses désirs. Le singe devient extrêmement agressif, et le milieu lui renvoie la pareille, aussi l'atmosphère devient-elle tout à fait échauffée et claustrophobique. Le singe se retrouve en Enfer. Il a réussi à faire une boucle complète de l'enfer au ciel, aller et retour. Ce cycle perpétuel de lutte, réalisation, désillusion et souffrance est le cercle du samsara, la réaction en chaîne karmique de la fixation dualiste.

Comment le singe peut-il sortir de ce cycle clos, carcéral, apparemment sans fin? C'est dans le Monde Humain que surgit la possibilité de briser la chaîne karmique, ou le cycle du samsara. L'intellect humain et la possibilité d'une action discriminante ouvrent la voie à une mise en question de l'ensemble du processus de lutte. Il est possible au singe de mettre en cause l'obsession de se relier à quelque chose, d'obtenir quelque chose, et la solidité du monde dont il a l'expérience. Pour ce faire, il faut que le singe développe la conscience panoramique et la connaissance transcendantale. La conscience panoramique lui permet de voir l'espace dans lequel se déroule le combat, de telle sorte qu'il commence à en percevoir la qualité ironique et humoristique. Au lieu de simplement se battre, il commence à faire l'expérience du combat et à en voir la futilité. Il rit de ses hallucinations. Il découvre que lorsqu'il ne s'attaque pas aux murs ceux-ci ne le repoussent pas durement, mais sont en fait chauds, doux et pénétrables. Il découvre qu'il ne lui est pas nécessaire de sauter par les fenêtres, de démolir les murs ou même de se résigner à leur opacité; il peut les traverser n'importe où. C'est pourquoi l'on parle de la Compassion, ou *Karuna,* comme d'un « doux et noble cœur ». C'est un processus de communication doux, chaud et ouvert.

La clarté et la précision de la connaissance transcendantale permettent au singe de voir différemment les murs. Il commence à réaliser que le monde n'a jamais été extérieur à lui et que c'était sa propre attitude dualiste, la séparation de « je » et d' « autre », qui créait le problème. Il commence à comprendre que c'est lui qui fait la solidité des murs, et que son ambition l'emprisonne. Et il commence à réaliser que pour se libérer de sa prison, il lui faut abandonner son intention de s'évader, et accepter les murs tels qu'ils sont.

Q. Et si l'on n'a jamais senti qu'il fallait lutter – si l'on n'a jamais atteint le stade où l'on souhaite sortir de la maison? Peut-être que l'on a un peu peur de ce qui est au-dehors, et que l'on utilise les murs comme protection.

R. Si, d'une façon ou d'une autre, vous arrivez à établir une relation amicale avec les murs, ce ne sont alors plus des murs en tant que tels. Voudriez-vous vous en servir comme protection qu'ils ne seraient plus là. Le paradoxe est que plus on déteste le mur, plus il devient fort et épais, et plus on est son ami, plus il disparaît.

Q. Je me demande si la douleur et le plaisir sont sur le même plan que cette discrimination intellectuelle entre le bon et le mauvais, ou le bien et le mal. Cette discrimination est-elle due à une attitude subjective?

R. Je crois que le plaisir et la douleur prennent naissance dans le même type de terrain. En général, les gens considèrent que la douleur est mauvaise et le plaisir bon, au point que le plaisir est associé à la joie et à la félicité spirituelle, et lié au ciel, tandis que la douleur est associée à l'enfer. Si l'on est capable de voir l'absurdité et l'ironie de l'attitude qui consiste à essayer d'atteindre au plaisir en rejetant la douleur, à avoir peur de la souffrance et à rechercher la jouissance, tout cela devient très comique. Les gens manquent quelque peu d'humour dans leurs attitudes à l'égard du plaisir et de la douleur.

Q. Vous avez dit que le monde phénoménal est hallucinatoire et que nous voulons en sortir. Pourtant, tel que je le comprends, l'enseignement bouddhiste dit que ce monde est simplement la manifestation du vide; aussi, qu'y a-t-il à franchir?

R. La question est que, dans la perception de l'ego, le monde phénoménal est très réel, il nous submerge par sa solidité. Il se peut qu'il soit en fait hallucinatoire, mais en ce qui concerne le singe, l'hallucination est tout ce qu'il y a de plus réel et solide. De son point de vue confus même la pensée devient très solide et tangible. Ce n'est pas assez de dire que ces hallucinations sont dépourvues d'existence parce que la forme est le vide et le vide est la forme. Essayez de dire cela à un singe névrotique! En ce qui le concerne, la forme existe en tant que forme solide et lourde. Elle est réelle pour lui parce qu'elle l'obsède tellement qu'il ne s'accorde pas d'espace pour voir autrement. Il est trop occupé à essayer continuellement de renforcer sa propre existence. Il ne s'accorde jamais de pause. Aussi n'y a-t-il pas de place pour l'inspiration, pas de place pour voir la situation sous d'autres aspects, sous des angles différents. Du point de vue du singe, la confusion est *réelle.* Lorsque l'on a un cauchemar, sur le moment il est réel, terriblement effrayant. D'un autre côté, lorsque l'on examine rétrospectivement l'expérience, il semble que cela ait été simplement un mauvais rêve. On ne peut employer simultanément deux espèces de logique. Il faut voir complètement l'aspect confus, pour le percer, pour en voir l'absurdité.

7. *Shakyamuni Bouddha.*

Les Quatre Nobles Vérités

Maintenant que nous avons brossé un portrait coloré du singe, avec ses nombreuses qualités – curieux, passionné, agressif, etc. –, nous pourrions examiner de façon un peu détaillée comment il lui est loisible de se comporter à l'égard de sa situation.

On parvient à comprendre et à transcender l'ego en remontant le long de la chaîne des Cinq Skandhas grâce à la pratique de la méditation. Le dernier développement du Cinquième Skandha consiste dans les modèles mentaux névrotiques et irréguliers qui sillonnent constamment l'esprit. Toutes sortes de formations mentales se développent concurremment au trajet halluciné du singe dans les Six Mondes : pensées discursives, pensées-sauterelles, pensées-vitrines, pensées-cinéma, etc. Il nous faut partir du point de vue de la confusion. En vue de clarifier cette confusion, il pourrait être utile d'examiner les notions exprimées par les Quatre Nobles Vérités, par l'énoncé desquelles le Bouddha actionna tout d'abord la « Roue du Dharma ».

Les Quatre Nobles Vérités sont : la vérité de la souffrance, la vérité de l'origine de la souffrance, la vérité du but, et la vérité du sentier. Nous partons de la vérité de la souffrance, ce qui signifie qu'il nous faut partir de la confusion et de la folie du singe.

Il nous faut partir de la réalité de *duhkha,* un mot sanscrit qui signifie « souffrance », « insatisfaction », ou « douleur ». L'insatisfaction se produit parce que l'esprit tournoie de telle façon qu'il semble n'y avoir ni commencement ni fin à son mouvement. Les processus mentaux se poursuivent continuellement : pensées du passé, pensées du futur, pensées du moment présent. De là vient l'irritation. Les pensées sont suscitées par l'insatisfaction, duhkha, et aussi identiques à celle-ci, au sentiment constamment répété que quelque chose manque, est incomplet dans nos vies. D'une façon ou d'une autre, quelque chose ne va pas tout à fait bien, il n'y en a pas tout à fait assez. Aussi essayons-nous toujours de boucher le trou, de mettre les choses au point, de trouver ce petit supplément de plaisir ou de sécurité. La permanence du combat et du souci est très irritante et douloureuse. A la longue, le seul fait d'être « moi » devient cause d'irritation.

Aussi la compréhension de la vérité de duhkha est-elle vraiment compréhension de la névrose de l'esprit. Nous sommes impulsés ici et là avec tellement d'énergie. Que nous mangions, dormions, travaillions, jouions, quoi que nous fassions, la vie contient duhkha, l'insatisfaction, la douleur. Si nous avons du plaisir, nous craignons de le perdre; nous nous efforçons d'accroître le plaisir, ou nous tâchons de le préserver. Et, si nous souffrons, nous tentons de nous soustraire à la douleur. Nous faisons tout le temps l'expérience de l'insatisfaction. Toutes les activités contiennent de l'insatisfaction ou de la douleur, continuellement.

Nous nous arrangeons pour modeler notre vie de façon à ne jamais avoir le temps d'en savourer le goût. Nous sommes toujours occupés, toujours en train de courir après l'instant qui vient, toujours en train de vouloir saisir. C'est duhkha, la Première Noble Vérité. Comprendre et affronter la souffrance est le premier pas.

Une fois que nous avons pris une conscience aiguë de notre insatisfaction, nous commençons à en chercher la raison, la source. En examinant nos pensées et nos actions, nous découvrons que nous nous battons continuellement pour nous maintenir et nous mettre en valeur. Et nous réalisons que ce combat est la racine de la souffrance. Aussi cherchons-nous à comprendre le processus de la lutte : c'est-à-dire, comment se développe et opère l'ego. C'est la Seconde Noble Vérité, la vérité de l'origine de la souffrance.

Comme nous l'avons vu dans les chapitres traitant du matérialisme spirituel, beaucoup de gens commettent l'erreur de penser que, puisque l'ego est la racine de la souffrance, le but de la spiritualité doit être de conquérir et détruire l'ego. Ils se battent pour éliminer la lourdeur de l'ego mais, comme nous l'avons vu plus haut, ce combat est simplement une autre expression de l'ego. On n'arrête pas de tournicoter, on essaie de s'améliorer à force de lutte, jusqu'à ce que l'on réalise que l'ambition de s'améliorer est elle-même le problème. Des éclairs nous parviennent seulement lorsque surviennent des pauses dans notre combat, seulement lorsque nous arrêtons d'essayer de nous débarrasser de la pensée, lorsque nous cessons de nous mettre du côté des bonnes, des pieuses pensées contre les pensées mauvaises et impures, seulement lorsque nous nous laissons simplement voir la nature de la pensée.

Nous commençons à réaliser qu'il y a en nous une qualité de santé, d'éveil. En fait, cette qualité se manifeste seulement en l'absence de combat. Aussi découvrons-nous la Troisième Noble Vérité, la vérité du but, qui est non-lutte. Nous n'avons besoin que de laisser tomber l'effort de nous sécuriser et de nous solidifier, et l'état d'éveil est présent. Mais nous réalisons vite que « lâcher prise », sans plus, n'est possible que durant de courts espaces de temps. Nous avons besoin d'une discipline qui nous amène au « laisser être ». Il nous faut marcher sur un sentier spirituel. Il faut que l'ego s'use comme une vieille chaussure, voyageant de la souffrance à la libération.

Aussi, examinons le sentier spirituel, la pratique de la méditation, la Quatrième Noble Vérité. La pratique de la méditation ne consiste pas à essayer d'entrer dans un état d'esprit semblable à une transe, et il ne s'agit pas non plus de se préoccuper d'un objet particulier. A la fois en Inde et au Tibet s'est développé un soi-disant système de méditation que l'on pourrait appeler « concentration ». Cette pratique de la méditation consiste à focaliser l'esprit sur un point particulier, de telle sorte que l'on devienne capable de mieux contrôler l'esprit, et de se concentrer. L'étudiant choisit un objet à regarder, auquel penser, ou à visualiser, et rassemble toute son attention sur cet objet. Ce faisant, il tend à développer par force un certain type de calme mental. J'appelle ce type de pratique « gymnastique mentale », parce qu'elle n'essaie pas d'aborder dans sa totalité n'importe quelle situation de la vie. Elle se fonde entièrement sur *ceci* et *cela,* le sujet et l'objet, plutôt que de transcender la vision dualiste de la vie.

La pratique de samadhi, d'un autre côté, n'implique pas ce type de concentration. Il est très important de réaliser cela. Ces pratiques de concentration concourent largement à renforcer l'ego, même si ce n'est pas leur but conscient. Toujours est-il que, la concentration est pratiquée dans un but particulier, et avec un objet en tête, aussi tend-on à se centrer sur le « cœur ». On s'installe pour se concentrer sur une fleur, une pierre ou une flamme, et l'on regarde l'objet fixement, mais, mentalement, on va, autant que possible, à l'intérieur du cœur. On essaie d'intensifier l'aspect solide de la forme, ses qualités de stabilité et d'immobilité. A long terme, une telle pratique peut s'avérer dangereuse. S'il est doté d'une volonté intense, le méditant peut développer une introversion trop solennelle, fixe et rigide. Ce type de pratique ne conduit pas à l'ouverture et à l'énergie ni au sens de l'humour. La pratique est trop lourde, et peut facilement devenir dogmatique, en ce sens que ceux qui s'y engagent pensent en termes de discipline imposée. On croit qu'il est nécessaire d'être très sérieux et solennel. Cela produit une attitude mentale compétitive — plus l'on peut rendre l'esprit captif, plus l'on réussit —, ce qui est une approche plutôt dogmatique et autoritaire. Cette façon de penser, toujours centrée sur l'avenir, est habituelle à l'ego : « Je voudrais bien obtenir tel et tel résultat. J'ai une théorie idéalisée, ou un rêve, que j'aimerais matérialiser. » On tend à vivre dans l'avenir, avec une vision de la vie teintée par l'attente de la réalisation d'un but idéal. Et cette attente nous fait manquer la précision, l'ouverture et l'intelligence du présent. Nous sommes fascinés, aveuglés et submergés par le but idéalisé.

La qualité compétitive de l'ego est facilement observable dans le monde matérialiste où nous vivons. Si l'on veut devenir millionnaire, il faut d'abord essayer de le devenir *psychologiquement*. On commence par avoir une image de soi comme millionnaire et l'on déploie ensuite tous ses efforts pour atteindre ce but. On se propulse dans cette direction, sans chercher à savoir si l'on sera ou non capable de réaliser l'objectif. Cette approche tend à créer des œillères, à nous rendre insensible au moment présent, tellement nous vivons dans l'avenir. La même approche erronée peut être appliquée à la pratique de la méditation.

Dans la mesure où une réelle pratique de la méditation nous conduit à sortir de l'ego, le point de départ ne consiste pas en une trop grande concentration sur la réalisation à venir de l'état d'esprit éveillé. La pratique de la méditation, dans son intégralité, est essentiellement fondée sur la situation du moment présent, ici et maintenant, et relève d'un travail sur cette situation, sur cet état d'esprit actuel. Toute pratique de la méditation qui vise à transcender l'ego est centrée sur le moment présent. Et c'est bien pour cela que c'est un mode de vie si efficace. Si nous sommes complètement conscients de notre être présent et de la situation qui nous environne, nous ne pouvons rien manquer. Il se peut que nous nous servions de diverses techniques de méditation pour faciliter ce type d'éveil, mais ces techniques ne sont qu'une façon de sortir de l'ego. La technique est comme un jouet d'enfant. Lorsque l'enfant grandit, il abandonne son jouet. En attendant, la technique est nécessaire pour développer la patience et refréner la rêverie sur l' « expérience spirituelle ». Toute notre pratique se fonde sur la relation entre nous et l'ici et maintenant.

On n'a pas à se propulser dans la pratique de la méditation, mais seulement à laisser être. Si l'on s'y prend ainsi, on a automatiquement une sensation d'espace et d'aération, de la nature-de-Bouddha ou l'intelligence primordiale qui se fraie un chemin à travers la confusion. Et l'on commence alors à comprendre la « vérité du sentier », la Quatrième Noble Vérité, la simplicité, comme la conscience de marcher. On prend conscience que l'on est debout, puis l'on devient conscient que la jambe droite se soulève, s'avance, touche le sol, le presse; ensuite, la jambe gauche se soulève, s'avance, touche le sol, le presse. Il y a beaucoup, beaucoup de détails de l'action impliqués dans la simplicité et l'acuité d'être, dans le moment présent, ici et maintenant.

Il en est de même de la pratique de la conscience de la respiration. On prend conscience du souffle qui pénètre par les narines, jusqu'à ce qu'il ressorte et se dissolve dans l'atmosphère. C'est un processus très graduel et détaillé, dont la simplicité implique une précision aiguë. Si une action est simple, on commence à en réaliser la précision. On commence à réaliser que tous les faits et gestes de la vie quotidienne sont dotés de sens et de beauté.

Si l'on verse une tasse de thé, on est conscient de tendre le bras et de toucher la théière de la main, de l'élever et de verser l'eau. Finalement, l'eau atteint la tasse et l'emplit, on s'arrête de verser et l'on repose la théière avec précision, comme dans la cérémonie du thé, au Japon. On prend conscience de la dignité de chaque mouvement précis. On avait oublié que les activités peuvent être simples et précises. Chacun des actes de nos vies peut contenir simplicité et précision, et exprimer de la sorte une beauté et une dignité incommensurables.

Le processus de la communication peut être beau si nous le voyons en termes de simplicité et de précision. Chaque pause dans le discours devient une sorte de ponctuation. On parle, on accorde de l'espace, on parle, on accorde de l'espace. Il n'est pas nécessaire que les circonstances soient formelles et solennelles, mais il est beau que l'on ne se précipite pas, que l'on ne parle pas à toute vitesse, avec une voix rauque. Nous n'avons pas à déverser l'information, puis à nous arrêter brusquement, avides d'une réponse. Les choses peuvent être accomplies de façon digne et juste. Laissez seulement de l'espace. Dans la communication avec autrui, l'espace compte autant que la parole. Nous n'avons pas à surcharger l'autre tout à la fois de mots, d'idées et de sourires. Laissez de l'espace, souriez, dites quelque chose, marquez une pause, parlez à nouveau, et ensuite l'espace, la ponctuation. Si nous écrivions des lettres sans ponctuation, la communication serait chaotique. Nul besoin d'être conscient de soi ou rigide pour laisser de l'espace; il suffit de le sentir couler naturellement.

La pratique consistant à voir la situation avec précision à tout moment, grâce à des méthodes comme la conscience de marcher, est nommée *shamatha* (pali : *samatha*) : méditation. La méditation shamatha est associée au Sentier Hinayana, ou « petit véhicule », le sentier discipliné, ou étroit. Shamatha signifie « plénitude de paix ». Il y a un récit touchant le Bouddha qui raconte comment il a appris à une villageoise à développer une telle attitude de l'esprit dans l'action de tirer l'eau du puits. Il lui a appris à être consciente des mouvements précis de ses mains et de ses bras lorsqu'elle puisait l'eau. Dans une telle pratique, on essaie de considérer l' « ici et maintenant » de l'action, et c'est bien pourquoi l'on parle de « shamatha », le développement de la paix. Lorsque l'on voit l'ici et maintenant du moment présent, il n'y a pas de place pour autre chose que l'ouverture et la paix.

Q. Pourriez-vous en dire un peu plus sur les pauses que l'on s'accorde? Je comprends bien ce que vous voulez dire, mais je ne vois pas comment elles surviennent, comment on les laisse apparaître. Comment « laisser être »?

R. En fait, cette question nous conduit au prochain thème, l'examen du Sentier du Bodhisattva, le Sentier Mahayana de compassion et de liberté, le sentier large. Cependant, pour répondre à cette question du point de vue Hinayana de la simplicité, on devrait être pleinement satisfait de toute situation, sans chercher à s'en distraire par un objet extérieur. En général, lorsque l'on parle, on ne cherche pas simplement à communiquer un message à autrui, on souhaite une réponse. On veut être nourri par autrui, ce qui est une façon de communiquer très égocentrique. Il nous faut abandonner ce désir d'être nourri, et la pause survient automatiquement. L'effort n'y fait rien.

Q. Vous avez dit qu'il nous faut nous préparer à entrer dans le sentier. Nous ne pouvons nous y précipiter. Il nous faut marquer une pause. Pourriez-vous dire un mot sur cette préparation?

R. Au début, nous avons le sentiment que la quête spirituelle est quelque chose de très beau, qui répondra à toutes nos questions. Il nous faut dépasser ce type d'espoir et d'attente. Il se peut que nous attendions de notre maître qu'il résolve tous nos problèmes, qu'il dissipe tous nos doutes. Mais lorsque nous sommes confrontés à lui, il ne répond pas à toutes nos questions. Il nous laisse trouver les solutions nous-mêmes, ce qui est terriblement décevant et décourageant.

Nous avons toutes sortes d'attentes, spécialement lorsque nous recherchons un sentier spirituel et que nous sommes impliqués dans le matérialisme spirituel. Nous attendons de la spiritualité qu'elle nous apporte le bonheur et le confort, la sagesse et le salut. Cette approche littéralement égocentrique de la spiritualité doit être complètement retournée. Finalement, si nous abandonnons tout espoir d'atteindre quelque espèce d'illumination, à ce moment précis le sentier commence à s'ouvrir. C'est comme lorsqu'on attend l'arrivée de quelqu'un. On est sur le point d'abandonner tout espoir qu'il arrive jamais, on commence à penser que l'idée de sa venue était une simple fantaisie de notre part, et qu'en fait il ne s'est pas mis en chemin. Au moment précis où l'on abandonne tout espoir, la personne survient. C'est ainsi que cela se passe dans le sentier spirituel. Il s'agit d'user toutes les attentes. Il faut de la patience. On n'a pas à se propulser trop énergiquement dans le sentier, mais simplement à attendre, à laisser un peu d'espace, à ne pas être trop occupé à essayer de comprendre la « réalité ». Il est d'abord nécessaire de voir la motivation de notre quête spirituelle. Aucune ambition n'est nécessaire si nous devons nous engager dans le sentier, l'esprit ouvert, transcendant à la fois le « bon » et le « mauvais ».

Une terrible soif de savoir se développe lorsque nous commençons à réaliser l'origine de duhkha. Une formidable impulsion nous pousse à aller au-delà. Si nous nous propulsons trop, le sentier spirituel se mue en sentier de douleur, de confusion et de samsara, tellement nous sommes occupés à essayer de nous sauver nous-mêmes. Nous sommes trop avides pour apprendre quoi que ce soit, trop occupés à satisfaire notre ambition de progresser sur le sentier plutôt que de nous laisser être et d'examiner l'ensemble du processus avant de démarrer. Il est nécessaire de ne pas se précipiter dans le sentier spirituel, mais de s'y préparer correctement et intégralement. Attendre, simplement. Attendre et examiner intégralement le processus de la « quête spirituelle ». S'accorder une pause.

Le point essentiel est que l'intelligence primordiale brille à travers notre confusion. Considérons à nouveau l'image originelle du singe. Il voulait sortir de sa maison, et il est devenu extrêmement occupé à essayer de s'échapper, à examiner les murs et les fenêtres, à grimper et à sauter en tous sens. La formidable énergie qui anime le singe est l'intelligence primordiale qui nous pousse à sortir de nous-mêmes. Cette intelligence n'est pas comme une graine qu'il faudrait alimenter mais comme le soleil qui perce les nuages. Lorsque nous marquons une pause, alors la compréhension spontanée, intuitive, de la façon d'avancer sur le sentier émerge en nous soudainement, automatiquement. Telle fut l'expérience du Bouddha. Après qu'il eut étudié de multiples disciplines yogiques sous la direction de nombreux maîtres hindous, il réalisa qu'il ne pourrait pas atteindre un état d'éveil complet en essayant simplement d'appliquer ces techniques. Aussi s'arrêta-t-il, et décida-t-il de travailler sur lui-même, tel que, déjà, il était. C'est cela, l'instinct fondamental qui se fait jour. Il est tout à fait nécessaire de reconnaître cet instinct primordial. Il nous dit que nous ne sommes pas condamnés, que nous ne sommes pas radicalement mauvais ni défaillants.

Q. Comment affronter les situations concrètes de la vie tout en tâchant d'être simple et de faire l'expérience de l'espace?

R. Voyez-vous, pour faire l'expérience de l'espace ouvert, aérien, on doit aussi faire l'expérience de la solidité de la terre, de la forme, car ils sont interdépendants. Il n'est pas rare que nous ayons une conception romantique de l'espace ouvert, et alors nous tombons dans des pièges. Pour autant que nous abandonnerons tout romantisme quant à l'espace ouvert en tant que lieu merveilleux, mais que, plutôt, nous relierons cet espace à la terre, nous éviterons les pièges. On ne peut avoir l'expérience de l'espace sans le délimiter par les contours de la terre. Si nous voulons peindre un tableau de l'espace ouvert, nous devons l'exprimer par rapport à l'horizon de la terre. Aussi devons-nous nous ramener aux problèmes de la vie quotidienne, aux histoires de cuisine et d'évier. C'est bien pourquoi la simplicité et la précision des activités quotidiennes revêt une telle importance. Si nous percevons l'espace ouvert, ramenons-nous aux situations familières de la vie, aux vieilles situations claustrophobiques, et regardons-y de plus près, examinons-les, absorbons-nous-y, jusqu'à ce que l'absurdité de leur solidité nous saute aux yeux, et que nous en saisissions la qualité spacieuse aussi.

Q. Comment se comporter à l'égard de l'impatience qui va de pair avec la période d'attente?

R. L'impatience dénote que l'on n'a pas complètement compris le processus. Si l'on voit la complétude de chaque action, il n'y a plus d'impatience.

Q. Je fais l'expérience de pensées sereines aussi bien que de pensées névrotiques. Dois-je cultiver les premières?

R. Dans la pratique de la méditation, toutes les pensées sont les mêmes : pensées pieuses, pensées extrêmement belles, pensées religieuses, pensées sereines – ce sont toujours des pensées. On n'essaie pas de cultiver les pensées sereines et de supprimer les soi-disant pensées névrotiques. C'est un point intéressant. Lorsque nous parlons de marcher sur le sentier du dharma, ce qui est la Quatrième Noble Vérité, cela ne signifie pas que nous devenons religieux, sereins et bons. Essayer d'être calme, essayer d'être bon, c'est encore un aspect de la lutte, un visage de la névrose. Les pensées sous-tendues par inclination religieuse sont l'observateur, le juge, et les pensées confuses, mondaines, sont l'acteur, l'opérateur. Par exemple, si l'on médite, il se peut que l'on fasse l'expérience de pensées domestiques ordinaires, et qu'en même temps un observateur tienne ce discours : « Ne fais pas ceci, ne fais pas cela, reviens à la méditation. » Ces pieuses pensées sont encore des pensées, et il convient de ne pas les cultiver.

Q. Pourriez-vous en dire un peu plus sur l'emploi des pauses, comme de la parole, dans la communication, et sur la relation que ce processus entretient avec l'ego?

R. Habituellement, lorsque nous communiquons avec une autre personne, nous sommes animés par une sorte de vitesse névrotique. Il nous faut commencer à laisser quelque spontanéité pénétrer cette vitesse, de telle sorte que nous ne nous projetions pas sur la personne avec qui nous communiquons, que nous ne nous imposions pas, que nous ne surchargions pas l'autre. En particulier, lorsque nous parlons de quelque chose qui nous intéresse, nous ne parlons pas seulement, nous bondissons sur l'autre personne. La spontanéité est toujours là, mais enténébrée par la pensée. A chaque fois qu'il y a une trouée dans la mer de nuages mentale, elle se manifeste lumineusement. Atteignez cette première ouverture, reconnaissez-la, et par la trouée, l'intelligence primordiale commencera à fonctionner.

Q. Beaucoup de gens sont conscients de la vérité de la souffrance, mais ne font pas le second pas consistant à prendre conscience de l'origine de cette souffrance. Pourquoi cela?

R. Je crois que c'est largement une question de paranoïa. Nous voulons nous échapper. Nous voulons nous évader de la souffrance plutôt que la considérer comme une source d'inspiration. La souffrance nous paraît suffisamment mauvaise, aussi, pourquoi pousserions-nous plus loin nos investigations? Certaines personnes qui souffrent beaucoup et réalisent qu'elles ne peuvent échapper à leur souffrance, commencent véritablement à la comprendre. Mais la plupart des gens sont trop occupés à essayer de se débarrasser de l'irritation, à chercher à se distraire d'eux-mêmes, pour regarder le matériau qu'ils ont déjà. C'est trop embarrassant d'y regarder de près. Telle est l'attitude de la paranoïa : si j'y regarde de trop près, je vais découvrir quelque chose d'effrayant. Mais pour être une personne complètement inspirée, comme Gautama Bouddha, nous devons avoir l'esprit très ouvert et intelligent, nous devons être curieux. Il nous faut vouloir tout explorer, même si c'est laid, douloureux ou répugnant. Ce type de tournure d'esprit scientifique est très important.

Q. Dans l'esprit éveillé, d'où provient la motivation?

R. La motivation inspirée provient de quelque chose qui est au-delà de la pensée, au-delà des concepts du « bon » et du « mauvais », du « désirable » et de l'« indésirable ». Au-delà de la pensée se trouve une sorte d'intelligence qui est notre nature fondamentale, notre fonds, une intelligence intuitive primordiale, un sentiment de l'espace, une façon ouverte et créatrice d'aborder les situations. Ce type de motivation n'est pas intellectuel : il est intuitif, précis.

Q. Peut-on travailler sur son esprit par le contrôle de la situation physique?

R. Quoi que vous fassiez des situations de la vie, il y a toujours une communication à l'œuvre entre l'esprit et la matière. Mais l'on ne peut se fonder seulement sur les gadgets matériels, on ne peut faire le tour des problèmes de l'esprit en manipulant des objets qui lui sont extérieurs. On voit tant de gens dans notre société essayer de le faire. Les gens endossent des robes, quittent le monde, mènent des vies très austères, et renoncent à toutes les habitudes de comportement communes aux hommes. Mais il faudra bien un jour ou l'autre qu'ils s'occupent de leurs esprits confus. La confusion prend son origine dans l'esprit, aussi vaut-il mieux commencer directement par l'esprit plutôt qu'essayer de tourner autour du pot. Si l'on essaie d'esquiver la confusion mentale en manipulant le monde physique, je ne crois pas que cela puisse marcher.

Dans la danse de la vie, la matière reflète l'esprit, et l'esprit réagit sur la matière. Il y a un échange continuel. Si l'on tient une pierre, on doit en sentir les solides qualités terriennes. Il faut apprendre à communiquer avec ses qualités rocheuses. Si l'on tient une fleur, sa forme particulière, la couleur des pétales se connectent aussi avec notre psychisme. Nous ne pouvons ignorer complètement le symbolisme du monde entier.

Cependant, au début, lorsque nous essayons de nous confronter à nos propres névroses, il nous faut être très directs et ne pas penser que nous pouvons nous évader des problèmes de l'esprit en jouant avec la matière. Par exemple, si une personne est psychiquement déséquilibrée, complètement confuse, comme le singe dont nous avons parlé, et que nous l'affublons des vêtements du Bouddha ou l'asseyons en posture de méditation, son esprit continuera de tournoyer. Mais plus tard, s'il apprend à se stabiliser et devient un simple singe, alors la retraite ou le calme pourraient s'avérer d'une certaine efficacité pour lui.

Q. Lorsque je vois la laideur en moi, je ne sais comment l'accepter. J'essaie de l'éviter ou de la changer plutôt que de l'accepter.

R. Eh bien, ce n'est pas la peine de la cacher. Ni de la changer. Poussez plus loin votre exploration. Lorsque vous voyez la laideur en vous, c'est seulement une idée préconçue. Vous voyez cela comme laid, ce qui s'articule encore sur les notions de « bon » et de « mauvais ». Il vous faut aller au-delà des mots et des idées conceptualisées, aller là où vous êtes, tout simplement, de plus en plus profondément. Un premier coup d'œil ne suffit pas : examinez en détail, sans juger, sans vous servir de mots ni de concepts. S'ouvrir pleinement à soi est s'ouvrir au monde.

8. *Avalokiteshvara Manjushri et Vajrapani.*

Le Sentier du Bodhisattva

Nous avons examiné la pratique méditative Hinayana de la simplicité et de la précision. En marquant une pause, en laissant un espace dans lequel les choses puissent être ce qu'elles sont, nous commençons à apprécier la claire simplicité et la précision de nos vies. C'est le début de la pratique de la méditation. Nous commençons à pénétrer le Cinquième Skandha, perçant au-delà de l'agitation et de la vitesse de la pensée discursive, le nuage de « bavardage » qui nous emplit l'esprit. L'étape suivante consiste à travailler sur les émotions.

La pensée discursive pourrait être comparée à la circulation du sang qui nourrit constamment les muscles de notre système, les émotions. Les pensées lient et soutiennent les émotions de telle sorte que, dans le cours de notre vie quotidienne, nous avons l'expérience d'un flux continu de bavardage mental ponctué par des éclats plus colorés et intenses d'émotion. Les pensées et les émotions expriment nos attitudes fondamentales envers le monde, nos façons d'entretenir une relation avec lui, et forment un environnement, un monde de fantaisie dans lequel nous vivons. Ces « environnements » sont les Six Mondes, et, bien qu'un monde particulier puisse typifier la psychologie d'un individu donné, la personne fera toutefois constamment aussi bien l'expérience des émotions associées aux autres mondes.

Pour travailler sur ces mondes, il nous faut commencer à

voir les situations de façon plus panoramique, ce qui est la méditation *vipashyana* (en pali : *vipassana*). Il nous faut devenir conscients non seulement des détails précis d'une activité, mais aussi de la situation dans son ensemble. Vipashyana implique la conscience de l'espace, l'atmosphère dans laquelle surgit la précision. Si nous voyons avec précision notre activité dans ses moindres détails, cette conscience engendre un certain espace. La conscience d'une situation sur une petite échelle entraîne aussi la conscience sur une plus large échelle. C'est à partir de là que se développe la conscience panoramique, la méditation *mahavipashyana* (en pali : *mahavipassana*), c'est-à-dire la conscience de l'ensemble de la structure, et non plus seulement la focalisation de l'attention sur les détails. Nous commençons à voir la structure de nos fantaisies plutôt que d'y être immergés. Nous découvrons que nous n'avons pas à combattre nos projections, que le mur qui nous sépare d'elles est notre propre création. La percée dans la nature insubstantielle de l'ego est prajna, connaissance transcendantale. Lorsque nous entrevoyons prajna, nous nous détendons, nous réalisons que nous n'avons pas à maintenir plus longtemps l'existence de l'ego. Nous pouvons nous permettre d'être ouverts et généreux. Le fait de voir une autre façon d'aborder nos projections crée une joie intense. C'est le premier niveau de réalisation spirituelle du bodhisattva, le premier *bhumi*. Nous pénétrons dans le Sentier du Bodhisattva, le Sentier Mahayana, la voie ouverte, le Sentier de la chaleur et de l'ouverture.

Dans la méditation mahavipashyana, il y a une vaste étendue d'espace entre nous et les objets. Nous sommes conscients de l'espace entre la situation et nous-mêmes, et que tout peut survenir dans cet espace. Rien n'arrive, ici ou là, en termes de relation ou de combat. En d'autres termes, nous n'imposons pas nos idées conceptualisées, nos noms et nos catégories sur l'expérience, mais nous sentons l'ouverture de l'espace dans chaque situation. De cette façon, la conscience devient très précise, et elle englobe tout.

La méditation mahavipashyana signifie qu'on laisse les choses être ce qu'elles sont. Nous commençons à réaliser que cela ne nécessite aucun effort de notre part, puisque les choses *sont* ce qu'elles sont. Nous n'avons pas à les regarder de cette façon : elles *sont* comme ça. Aussi commençons-nous à apprécier réellement l'ouverture et l'espace, cet espace dans lequel il est possible de se mouvoir, nous apprécions le fait de ne pas avoir à essayer d'être conscients puisque nous le sommes déjà. Ainsi, le Sentier Mahayana est-il la voie ouverte, le sentier large. Il implique, de la part d'un esprit ouvert, la volonté de se permettre d'être éveillé, de laisser jaillir son instinct.

Nous avons déjà évoqué la nécessité de l'espace comme support de la communication, mais ce type de pratique est très délibéré et conscient. Lorsque l'on pratique la méditation mahavipashyana, on ne se limite pas à se regarder communiquer, marquer délibérément une pause, attendre délibérément; l'on communique, et puis on s'ouvre à toutes les dimensions, pour ainsi dire. Laissez être et ne vous en faites plus; ne possédez pas le laisser être comme s'il vous appartenait, comme si c'était votre création. Ouvrez-vous, laissez être et dépossédez-vous-en! Alors jaillit la spontanéité de l'état éveillé.

Les écritures mahayana distinguent les êtres qui sont complètement prêts à s'ouvrir, ceux qui le sont presque et ceux qui en ont la potentialité. Les êtres qui en ont le potentiel sont des intellectuels, que le sujet intéresse, mais qui ne laissent pas à cet instinct suffisamment de place pour jaillir. Ceux qui sont presque prêts ont l'esprit tout à fait ouvert, mais ils s'observent plus qu'il est nécessaire. Ceux, enfin, qui sont complètement prêts à s'ouvrir ont entendu la formule secrète, le mot de passe de *tathagata*, quelqu'un l'a déjà fait, quelqu'un a déjà traversé, c'est possible, c'est le sentier ouvert, c'est le sentier de tathagata. Dès lors, sans considérer comment ou quand ou pourquoi, ouvrez-vous simplement.

C'est une belle chose, qui est déjà arrivée à quelqu'un d'autre, alors pourquoi pas vous? Pourquoi discriminer entre « moi » et le reste des tathagata?

« Tathagata » signifie « ceux qui ont fait l'expérience de *tathata* », c'est-à-dire « comme c'est » : ceux qui ont fait l'expérience de la réalité « telle qu'elle est ». En d'autres termes, la notion de tathagata est une source d'inspiration, un point de départ : elle nous dit que d'autres êtres l'ont déjà fait, d'autres ont déjà connu l'expérience. L'instinct a déjà inspiré quelqu'un, l'instinct de l' « éveil », de l'ouverture, du calme dans le sens de l'intelligence.

Le sentier du bodhisattva est destiné aux êtres qui sont braves et convaincus de la puissante réalité de la nature de tathagata qui existe en eux-mêmes. Les êtres réellement éveillés à une notion telle que celle de « tathagata » sont engagés dans le Sentier du Bodhisattva, le sentier du guerrier courageux qui se sent capable de faire le voyage, qui a confiance dans la nature de Bouddha. Le mot « bodhisattva » signifie : « celui qui est assez brave pour marcher sur le chemin de la bodhi ». « Bodhi » veut dire « éveil », « l'état éveillé ». Cela ne signifie pas pour autant que le bodhisattva doit être déjà pleinement éveillé; mais il veut marcher sur le sentier des éveillés.

Ce sentier consiste en six activités transcendantales qui prennent place spontanément. Ce sont : la générosité, la discipline, la patience, l'énergie, la méditation et la connaissance transcendantales. Ces vertus sont nommées « les six *paramitas* », parce que « param » signifie « l'autre côté » ou « l'autre rive », « l'autre rive du fleuve », et « ita » signifie « arrivé ». « Paramita » signifie « en train d'arriver de l'autre côté, ou sur l'autre rive », ce qui veut dire que les activités du bodhisattva doivent contenir la vision, la compréhension qui transcendent les notions centralisées de l'ego. Le bodhisattva n'essaye pas d'être bon ou gentil, il est spontanément compatissant.

La générosité

La générosité transcendantale est généralement mal comprise dans l'étude des Écritures bouddhistes comme signifiant la gentillesse envers un être inférieur. Des êtres souffrent; vous êtes en position supérieure et vous pouvez les sauver — ce qui est une façon trop simplette de regarder quelqu'un d'en haut. Mais, dans le cas du bodhisattva, la générosité n'est pas aussi dépourvue de cœur. C'est quelque chose de très fort et puissant : c'est la communication.

La communication doit transcender l'irritation, sinon, c'est comme essayer de faire un lit douillet dans une haie de ronces. Les qualités pénétrantes de la couleur, de l'énergie et de la lumière externes viendront à nous, pénétrant nos tentatives de communication comme des épines dans notre chair. Nous essaierons de dominer cette irritation intense, et notre communication sera bloquée.

La communication est émission et réception, échange. A chaque fois que l'irritation est impliquée, nous sommes incapables de voir correctement, pleinement et clairement la qualité spacieuse de ce qui vient à nous, de ce qui se présente comme communication. Le monde extérieur est immédiatement rejeté par notre irritation, qui dit : « Non, non, cela m'irrite, je n'en veux pas. Dehors! » Une telle attitude est en complète opposition avec la générosité transcendantale.

Aussi le bodhisattva doit-il faire l'expérience de la communication complète, de la générosité, transcendant l'irritation et la défensive. Sinon, lorsque les épines menacent de nous piquer, nous nous sentons attaqués, et nous devons nous défendre. Nous nous échappons en courant de la formidable occasion de communiquer qui nous est offerte, et nous n'avons même pas eu le courage de jeter un regard vers l'autre rive du fleuve. Nous regardons en arrière et nous essayons de fuir.

La générosité est volonté de donner, de s'ouvrir sans motifs philosophiques, religieux ou pieux, en faisant simplement ce que requiert chaque instant dans chaque situation, sans avoir peur de recevoir chaque chose. L'ouverture peut survenir alors que nous roulons sur une route. Ni le brouillard, ni la poussière, ni les haines et les passions des gens qui nous envahissent ne sauraient nous effrayer : nous nous ouvrons, simplement, nous lâchons complètement prise, nous donnons. Cela signifie que nous ne jugeons pas, n'évaluons pas. Si nous tentons de juger ou évaluer notre expérience, si nous essayons de décider dans quelle mesure il convient de nous ouvrir, dans quelle mesure nous devons rester fermés, alors l'ouverture n'aura aucun sens, et la notion de paramita, de générosité transcendantale, sera vaine. Notre action ne transcendera rien, cessera d'être l'action d'un bodhisattva.

L'idée de transcendance implique que l'on voie au travers et au-delà des notions limitées, des conceptions limitées de la mentalité belliqueuse du *ceci* opposé au *cela*. Généralement, lorsque nous regardons un objet, nous ne nous permettons pas de le voir correctement. Automatiquement, nous voyons notre version de l'objet au lieu de voir véritablement cet objet tel qu'il est. Nous sommes alors très satisfaits, parce que nous avons fabriqué en nous-mêmes notre propre version de la chose. Nous pouvons la commenter, la juger, la prendre ou la rejeter; plus rien ne passe, il n'y a plus aucune communication réelle.

Aussi la générosité transcendantale consiste-t-elle à donner tout ce que l'on a. Notre action doit être complètement ouverte, complètement nue. Nous n'avons pas à porter de jugements; c'est aux receveurs de faire le geste de l'accueil. Si les receveurs ne sont pas prêts pour notre générosité, ils ne l'accueilleront pas. S'ils sont prêts à recevoir, ils viendront la prendre. Telle est l'action désintéressée du bodhisattva. Il ne se demande pas : « Est-ce que je me trompe? », « Suis-je prudent? », « A qui devrais-je m'ouvrir? » Il ne prend jamais parti. D'une façon imagée, le bodhisattva restera immobile comme un cadavre. Vous laisserez les gens le regarder et vous examiner. Vous êtes à leur disposition. Une telle action noble, complète, est dépourvue d'hypocrisie et de tout jugement philosophique ou religieux. C'est pourquoi elle est transcendantale. C'est pourquoi elle est paramita. Elle est belle.

La discipline

Si nous allons plus loin et que nous examinons la paramita de « moralité » ou « discipline », la *shila* paramita, nous voyons les mêmes principes à l'œuvre. C'est-à-dire que Shila ou la discipline ne consiste pas à se lier à un ensemble fixé de lois ou de règles. Car, si un bodhisattva est complètement désintéressé, complètement ouvert, il agira selon cette ouverture, il n'aura pas à suivre de règles; il entrera simplement dans la danse. Il est impossible au bodhisattva de détruire les gens ou de leur faire du mal, parce qu'il incarne la générosité transcendantale. Il s'est ouvert complètement, aussi ne fait-il pas la différence entre *ceci* et *cela*. Il agit simplement en harmonie avec ce qui *est*. Du point de vue de quelqu'un d'autre — si quelqu'un observait le bodhisattva — il semble toujours agir correctement, il semble toujours faire la chose juste au moment juste. Mais si l'on essayait de l'imiter, ce serait impossible, parce que son esprit est tellement précis, tellement aigu, qu'il ne commet jamais d'erreur. Il ne tombe jamais sur des problèmes inattendus, ne crée jamais de chaos destructeur. Simplement, il entre dans la danse. Même si la vie paraît chaotique, il s'y insère, participe au chaos et, en quelque sorte, les choses s'arrangent d'elles-mêmes. Le bodhisattva est capable de traverser la rivière, pour ainsi dire, sans se laisser emporter par les tourbillons.

Si nous sommes complètement ouverts, sans du tout nous observer, mais si nous nous ouvrons complètement et communiquons avec les situations, telles qu'elles sont, alors l'action est pure, absolue, supérieure. Toutefois, si nous nous efforçons d'atteindre un comportement juste, notre action sera maladroite. Quelque pure qu'elle puisse être, elle sera empreinte de maladresse et de rigidité. Toute l'action du bodhisattva, en revanche, est fluide, absolument pas rigide. Chaque chose trouve sa place, comme si quelqu'un avait calculé la situation durant des années entières. Le bodhisattva n'agit pas de façon préméditée; il communique simplement. Il part de la générosité de l'ouverture et tombe dans le mouvement de la situation. Une métaphore fréquemment utilisée dit que la conduite du bodhisattva est semblable à la marche d'un éléphant. Les éléphants ne se pressent pas; simplement ils marchent lentement et sûrement à travers la jungle, un pas après l'autre. Ils avancent. Ils ne trébuchent ni ne commettent d'erreur. Chaque pas qu'ils font est solide et précis.

La patience

L'activité suivante du bodhisattva est la patience. A vrai dire, il n'est guère possible de diviser réellement les six activités du bodhisattva en pratiques strictement séparées. L'une conduit dans l'autre, elle l'incarne. Ainsi, dans le cas de la paramita de la patience, il ne s'agit pas d'essayer de se contrôler, d'essayer de travailler dur, d'essayer d'être une personne extrêmement endurante, au mépris de notre faiblesse physique ou mentale, de continuer sans trêve jusqu'à tomber raide mort. Car la patience implique des moyens habiles, comme la discipline et la générosité.

La patience transcendantale n'attend jamais rien. N'attendant rien, nous ne devenons pas impatients. En général, dans nos vies, nous attendons beaucoup, nous nous efforçons, et ce type d'action est largement fondé sur l'impulsion. Nous découvrons quelque chose d'excitant et de beau, nous nous lançons très fort vers cette chose et, tôt ou tard, nous sommes repoussés, parce que l'impulsion est une force extrêmement puissante qui nous dirige sans sagesse. L'action impulsive est semblable à celle d'une personne en train de courir sans voir quoi que ce soit, ou d'un aveugle qui tente d'arriver à destination. L'action du bodhisattva, en revanche, ne provoque jamais de réaction. Le bodhisattva peut s'harmoniser avec n'importe quelle situation parce qu'il ne désire rien, n'est fasciné par rien. La force qui est derrière la patience transcendantale n'est pas dirigée par une impulsion prématurée ou quelque chose de cette nature. Elle est très lente, sûre et continue, comme la marche d'un éléphant.

La patience ressent aussi l'espace. Les situations nouvelles ne l'effraient jamais, parce que rien ne peut surprendre le bodhisattva — rien. Rien de ce qui survient — que ce soit destructeur, chaotique, créateur, accueillant, ou séducteur — ne perturbe ou ne choque le bodhisattva, parce qu'il est conscient de l'espace régnant entre la situation et lui-même. Une fois qu'il en est conscient, tout peut se produire dans cet espace. Tout ce qui survient le fait au sein de l'espace. Rien ne prend place « ici » ou « là », en termes de relation ou de combat. Dès lors, la patience transcendantale signifie que nous entretenons une relation fluide avec le monde, que nous ne combattons rien.

L'énergie

Nous pouvons alors parvenir au stade suivant, la paramita de l'énergie, *virya*. Ce type d'énergie nous conduit immédiatement dans les situations de telle sorte que nous ne manquons jamais aucune chance, aucune possibilité. En d'autres termes, c'est la joie, l'énergie joyeuse, comme le souligne Shantideva dans son *Bodhisattva-charyavatara*. Cette énergie est la joie, et non le type d'énergie avec laquelle on travaille dur parce qu'on s'y sent obligé. C'est une énergie joyeuse parce que nous sommes complètement intéressés par les rythmes créateurs de nos vies. Toute notre vie, ouverte par la générosité, activée par la moralité, fortifiée par la patience, parvient maintenant à l'étape suivante, l'étape de la joie. Les situations ne sont jamais, à nos yeux, le moins du monde inintéressantes ou stagnantes, parce que la vision de la vie qu'a le bodhisattva est celle d'un esprit extrêmement ouvert, intensément intéressé. Il n'évalue jamais; cela ne signifie pas pour autant qu'il soit complètement dans les choux. Cela ne veut pas dire qu'il est absorbé dans une « conscience plus haute », le « plus haut degré du samadhi », de telle sorte qu'il ne peut plus distinguer le jour de la nuit, ou le déjeuner du dîner. Il n'a pas l'esprit vague ou cotonneux. Il voit plutôt les valeurs verbalisées et conceptualisées pour ce qu'elles sont, il voit au-delà du concept et de la valeur. Il perçoit l'identité de ces petites distinctions que nous faisons. Il voit les situations d'un point de vue panoramique, et, dès lors, prend le plus grand intérêt à la vie telle qu'elle est. Aussi, le bodhisattva ne lutte-t-il pas le moins du monde : simplement, il vit.

Lorsqu'il s'engage dans le Sentier du Bodhisattva, il fait le vœu de ne pas atteindre l'illumination avant d'avoir aidé tous les êtres à atteindre l'état d'éveil, ou la bouddhéité, avant lui. Commençant par un aussi noble acte de don, d'ouverture, de sacrifice, il continue sur ce chemin, porte un très grand intérêt aux situations quotidiennes, et ne se lasse jamais de travailler avec la vie. C'est virya, le travail intense dans la joie. Une immense énergie se libère lorsque nous réalisons que nous avons abandonné le désir de devenir Bouddha, que nous avons maintenant le temps de vivre réellement la vie, que nous avons dépassé l'agitation névrotique.

Il est intéressant que, bien que le bodhisattva ait prononcé le vœu de ne pas atteindre l'illumination, il ne perde pas une seconde, tellement son action est empreinte de précision et d'acuité. Il vit toujours la vie profondément et pleinement, et, pour résultat, avant de réaliser où il est, il atteint l'illumination. Mais, assez étrangement, une fois devenu Bouddha, il continue de ne pas vouloir atteindre l'illumination. Alors, la compassion et la sagesse jaillissent littéralement, renforçant son énergie et sa conviction. Si nous ne nous lassons jamais des situations, notre énergie est joyeuse. Si nous sommes complètement ouverts, pleinement éveillés à la vie, nous ne nous ennuyons jamais. Telle est virya.

La méditation

La paramita suivante est *dhyana,* ou la méditation. Il y a deux espèces de dhyana. La première est celle du bodhisattva : à cause de son énergie de compassion, il fait continuellement l'expérience de la conscience panoramique. Dhyana signifie littéralement « conscience éveillée », être dans un état d' « éveil ». Mais cela ne recouvre pas seulement la pratique de la méditation dans un sens formel. Le bodhisattva ne recherche jamais un état de transe, de béatitude ou d'absorption. Il est simplement conscient des situations de la vie telles qu'elles sont. Il est particulièrement conscient de la continuité qui lie la méditation à la générosité, la moralité, la patience et l'énergie. Il se sent constamment « éveillé ».

L'autre type de dhyana est la pratique de la concentration du monde divin. La principale différence entre cette méditation et celle du bodhisattva est que le bodhisattva ne se repose sur rien, bien qu'il traite des situations de la vraie vie physique. Dans sa méditation, il ne pose pas une autorité centrale, il ne s'observe pas en train d'agir ou de méditer, de telle sorte que son action est toujours une méditation et sa méditation toujours une action.

La connaissance

La paramita suivante est *prajna* ou la connaissance. Prajna est traditionnellement symbolisée par une épée aiguisée, à double tranchant, qui pourfend la confusion. Même si le bodhisattva a réalisé la perfection des cinq autres paramitas, s'il manque de prajna ses autres actions sont incomplètes. Il est dit dans les sutras que les cinq paramitas sont comme cinq fleuves qui se déversent dans l'océan de prajna. Il est aussi dit que le *Chakravartin* ou empereur de l'univers, part en guerre à la tête de quatre armées différentes. Sans empereur pour les conduire, les armées ne sont pas dirigées. En d'autres termes, prajna est l'intelligence, le modèle fondamental auquel conduisent toutes les autres vertus, et dans lequel elles se dissolvent. Elle est ce qui pourfend les versions conceptualisées de l'action bodhisattvique – la générosité, la discipline, et tout le reste. Le bodhisattva accomplit-il ses actions méthodiquement et correctement, mais sans la connaissance, sans l'épée qui pourfend le doute et l'hésitation, que son action n'est pas du tout réellement transcendante. Ainsi prajna est-elle l'intelligence, l'œil qui voit tout, le contraire de l'introspection constante de l'ego.

Le bodhisattva transmute l'observateur, ou l'ego, en connaissance discriminante, prajna paramita. « Pra » signifie « super », et « jna », « connaissance » : superconnaissance, connaissance complète, aiguisée, qui voit tout. La conscience fixée sur « ceci » ou « cela » a été pourfendue, ce qui produit les deux faces de la connaissance, la prajna de la connaissance et la prajna de la vision.

La prajna de la connaissance œuvre sur les émotions. Elle pourfend les émotions conflictuelles — les attitudes que l'on a envers soi-même —, révélant dès lors ce que l'on est. La prajna de la vision transcende les idées préconçues et primitives du monde. Elle consiste à voir les situations telles qu'elles sont. Aussi la prajna de la vision permet-elle d'aborder des situations de la façon la plus équilibrée possible. Prajna pourfend complètement toute espèce de conscience éveillée qui incline, serait-ce très légèrement, à séparer « ceci » et « cela ». C'est la raison pour laquelle la lame est à double tranchant. Elle ne frappe pas seulement dans cette direction-ci, mais aussi bien dans celle-là. Le bodhisattva cesse de faire l'expérience de l'irritation qui provient de la distinction entre *ceci* et *cela*. Il vogue simplement au travers des situations sans avoir besoin de vérifier. Ainsi les six paramitas sont-elles interdépendantes.

Q. Peut-on dire que la méditation consiste simplement à être attentif à ce que l'on fait?

R. Dhyana, la cinquième paramita, consiste à être simplement conscient, attentif. Mais, pas plus qu'aucune autre paramita, dhyana ne peut exister indépendamment de la connaissance transcendantale, prajna. Prajna porte une lumière complètement différente sur la pratique de l'éveil, elle la transforme en quelque chose de plus que la simple concentration, que le fait, déjà cité, de garder son esprit rassemblé sur un objet ou une chose particuliers. Avec prajna, la méditation devient conscience de tout l'environnement, de la situation particulière où l'on est. Elle se traduit aussi en précision et en ouverture, de telle sorte que l'on est conscient de chaque instant et de chaque pas, chaque mouvement que l'on fait. Et cette précision, cette simplicité, s'étend et devient conscience globale de l'ensemble de la situation. Aussi bien dans la méditation ne s'agit-il pas de se reposer sur une chose, mais d'être conscient de l'ensemble de la situation, et de faire l'expérience des événements dans leur simplicité. La méditation n'est pas seulement pratique de la conscience, mais aussi développement du regard intuitif qui est nécessaire pour étendre cette pratique. Ainsi la conscience se déplace-t-elle d'un sujet à l'autre.

Développer prajna est comme apprendre à marcher. Il se peut que l'on doive commencer par développer la conscience d'une seule chose, puis de deux, trois, quatre, cinq, six, etc. Mais, finalement, si nous voulons marcher correctement, nous devons apprendre à étendre notre conscience jusqu'à englober la situation tout entière dans laquelle nous sommes impliqués, de façon à être conscients de toute chose dans une même situation. Pour y parvenir, il est nécessaire de ne s'attarder sur rien; alors on est conscient de tout.

Q. Que faire si des conflits nous opposent aux autres, et nous rendent difficiles les relations avec eux?

R. Eh bien, si votre désir de communiquer, qui est la générosité, est fort, appliquez prajna, la connaissance, pour découvrir les raisons de votre incapacité à communiquer. Peut-être votre communication est-elle à sens unique. Peut-être ne souhaitez-vous pas que la communication provienne aussi de l'autre bord. Peut-être avez-vous un grand désir de communiquer, et placez-vous toute votre énergie dans votre communication. C'est une approche très intense, envahissante pour la personne à qui vous vous adressez. L'autre n'a pas la place de vous renvoyer la balle. Bien sûr, nous agissons ainsi avec les meilleures intentions, mais il nous faut être attentifs à voir l'ensemble de la situation, plutôt que d'essayer seulement d'être empressés pour lancer quelque chose à l'autre. Il nous faut apprendre à voir aussi du point de vue d'autrui. Essentiellement, il faut que nous fournissions de l'espace et de l'ouverture. Nous faisons souvent l'expérience du pressant désir de convertir autrui à notre point de vue, et c'est assez difficile d'y résister. Mais prenons garde que notre communication ne devienne pas trop pesante. Et la seule façon d'y parvenir est d'apprendre à faire place à l'espace et à l'ouverture.

Q. Qu'est-ce qui nous fait abandonner le désir?

R. La découverte de la vérité, le fait brut que vous ne pouvez devenir un bodhisattva si vous n'abandonnez pas la volonté de devenir quelque chose. Il ne s'agit pas de jouer avec vous-même. Vous n'avez qu'à lâcher prise – vous ouvrir réellement, et abandonner. Une fois que vous avez entr'aperçu ce à quoi peut ressembler l'abandon, vous avez l'inspiration pour aller plus loin, au-delà. Une fois que vous avez fait l'expérience fugitive de l'état d'esprit éveillé, serait-ce durant une fraction de seconde, vous êtes pris d'un formidable désir d'avancer sur le sentier, d'un formidable effort. Alors, vous réalisez aussi que, pour aller plus loin, vous devez abandonner l'idée même de progrès. Le Sentier du Bodhisattva est divisé en dix étapes et cinq sentiers. A la fin du dernier sentier, à la dixième étape, vous entr'apercevez soudainement que vous allez donner naissance à l'état d'esprit éveillé, que vous allez actionner le déclic, lorsque quelque chose vous repousse. Vous réalisez alors que la seule chose qui vous retient est qu'il faut abandonner la tentative. C'est le *samadhi semblable au vajra* [1], la mort du désir.

Q. Dans la vie normale, l'insouciance est associée à l'ennui. L'insouciance du bodhisattva le transforme-t-elle en légume?

R. L'insouciance ne nous transforme pas en pierre ou en méduse; l'énergie demeure. Mais du point de vue de la personne soucieuse, si l'on fait l'expérience du désir, ou de la colère, et que l'on ne les exprime pas, mais que l'on essaie au contraire de rester calme, si l'on ne met pas son énergie en action, on se sent découragé, floué, étouffé. C'est une vue à sens unique de l'énergie.

L'énergie ne se manifeste pas du tout en purs termes de destruction ou de possession. Il y a des énergies au-delà qui n'ont aucun rapport avec l'amour ou la haine. Ce sont les énergies de la précision, de la clarté, de la vision au travers des situations. Ce sont les énergies de l'intelligence qui surgissent continuellement, et dont nous nous refusons à faire correctement l'expérience. Nous considérons toujours l'énergie en termes de destruction ou de possession. Mais il y a quelque chose de plus que cela. On ne s'ennuie jamais si l'on est branché sur la réalité telle qu'elle est. L'étincelle de l'énergie fulgure sans cesse et transcende l'ignorance ainsi que la mentalité simpliste à sens unique.

Q. Mais de quelle façon savoir comment et où diriger l'énergie?

R. Parce que l'on voit très clairement les situations, beaucoup plus clairement qu'auparavant, parce qu'on les voit telles qu'elles sont réellement, on sait comment et où diriger l'énergie. Auparavant, nous imposions sur la vie notre ver-

1. *Vajra,* en sanscrit : diamant-foudre. En tibétain : *Dorjê (NdT).*

sion de la réalité, plutôt que de voir les choses telles qu'elles sont. Aussi, lorsque ce genre de voile est levé, voyons-nous la situation telle qu'elle est. Alors nous pouvons communiquer correctement et pleinement avec elle. Nous n'avons pas à nous forcer à faire quoi que ce soit. C'est un échange continu, une danse continuelle – comme le soleil qui luit ou les plantes qui poussent. Le soleil n'a pas le désir de créer la végétation; les plantes réagissent simplement à la lumière solaire et la situation se développe naturellement.

Q. Spontanément?

R. Spontanément. Dès lors, c'est parfaitement efficace, comme dans le cas de la croissance des plantes; c'est très scientifique, tout à fait pertinent. Aussi nos actions deviennent-elles extrêmement pertinentes parce qu'elles sont spontanées.

Q. Est-ce que les situations appellent parfois une action agressive?

R. Je ne le pense pas, parce que l'action agressive est généralement liée à l'autodéfense. Si la situation est précisément ici et maintenant, elle ne déborde jamais. Alors, il n'est aucunement nécessaire de la contrôler, de se défendre.

Q. Je pense au Christ chassant les marchands du temple.

R. Je ne dirais pas qu'il s'agisse d'une action agressive; c'était une action authentique, et donc fort belle. Cela s'est produit parce qu'il a vu précisément la situation sans s'observer lui-même, sans essayer d'être héroïque. C'est le type d'action dont nous avons besoin.

Q. Comment opérer la transition entre un état d'esprit calme, passif, qui accueille tout, et un état d'esprit plus actif, discriminant?

R. Je crois qu'il faut voir les choses de façon complètement différente. En fait, je ne pense pas que notre version de la vie quotidienne soit aussi précise et aiguë que nous le croyons généralement. A vrai dire, nous nageons dans la confusion, parce que nous faisons plusieurs choses à la fois. Nous faisons quelque chose, et notre esprit est occupé par cent autres choses, ce qui nous rend extrêmement vagues. Nous devrions aborder la vie quotidienne d'une tout autre façon. C'est-à-dire que nous devrions permettre la naissance d'une perception intuitive, qui voit réellement les choses comme elles sont. Au début, cette perception peut être assez vague, un éclair sur ce qui est, une minuscule étincelle, comparée à l'obscurité de la confusion. Mais, au fur et à mesure que ce type d'intelligence devient plus actif et pénétrant, le vague commence à être écarté, et il se dissout.

Q. La vision des choses telles qu'elles sont ne requiert-elle pas une compréhension du sujet qui perçoit, aussi bien que de l'objet perçu?

R. Oui, c'est un point intéressant. En quelque sorte, il nous faut être dans le no man's land pour voir les choses telles qu'elles sont. Voir les choses telles qu'elles sont exige un saut, et l'on ne peut faire ce prétendu saut que si l'on ne s'élance de nulle part. Si l'on voit de quelque part, on prendra conscience de la distance, et, également, du sujet qui voit. Aussi peut-on voir les choses telles qu'elles sont seulement du milieu de nulle part. De même que l'on ne peut goûter sa propre langue. Pensez-y.

Q. Vous parlez de n'être capable de voir les choses telles qu'elles sont que du milieu de nulle part. Pourtant les Écritures bouddhistes parlent de passer sur l'autre rive du fleuve. Pourriez-vous éclaircir ce point?

R. C'est un peu un paradoxe comme cette idée de bondir de nulle part. Certainement les Écritures bouddhistes parlent de passer sur l'autre rive du fleuve. Mais l'on arrive sur l'autre rive seulement lorsqu'on réalise finalement qu'il n'y a pas d'autre rive. En d'autres termes, nous voyageons jusqu'à la « terre promise », l'autre rive, et nous n'y sommes que lorsque nous réalisons que nous y avons toujours été. C'est très paradoxal.

9. ***Prajnaparamita.***

Shunyata

Pourfendant nos versions conceptualisées du monde avec l'épée de prajna, nous découvrons *shunyata* – rien, la vacuité, le vide, l'absence de dualité et de conceptualisation. Les plus connus des enseignements du Bouddha sur ce sujet sont présentés dans le *Prajnaparamita-hridaya,* aussi nommé *Sutra*[1] *du cœur;* mais il est intéressant de noter que, dans ce sutra le Bouddha prononce à peine une parole. A la fin du discours, il dit simplement : « Bien dit, bien dit », et sourit. Il créa une situation telle que l'enseignement de shunyata fût présenté par d'autres, plutôt que d'en être lui-même le porte-parole. Il n'a pas imposé sa communication, mais créé la situation dans laquelle pourrait survenir l'enseignement, dans laquelle ses disciples auraient l'inspiration de découvrir shunyata et d'en faire l'expérience. Il y a douze styles pour présenter le dharma, et c'est l'un d'eux.

Ce sutra parle d'Avalokiteshvara, le bodhisattva qui représente la compassion et les voies expertes, et de Shariputra le grand *arhat*[2] qui représente prajna, la connaissance. Il y a certaines différences entre les traductions tibétaine et japonaise, et l'original sanscrit, mais toutes les

1. *Sutra :* Enseignement du Bouddha, transcrit par ses disciples. Enseignement des Maîtres, à partir de l'expérience du Bouddha. Écritures bouddhistes *(NdT).*
2. Méditant *(NdT).*

versions indiquent qu'Avalokiteshvara fut obligé de s'éveiller à shunyata par la force débordante de prajna. Alors Avalokiteshvara s'entretint avec Shariputra, qui représente la personne dotée d'un esprit scientifique, ou la connaissance précise. Il plaça les enseignements du Bouddha sous le microscope de Shariputra ce qui veut dire que ces enseignements n'ont pas été acceptés avec une foi aveugle, mais examinés, pratiqués, essayés et éprouvés.

Avalokiteshvara dit : « O, Shariputra, *la forme est le vide, le vide est la forme; la forme n'est rien d'autre que le vide* et *le vide n'est rien d'autre que la forme.* » Nous n'avons pas besoin d'entrer dans les détails de leur discours, mais nous pouvons examiner cette déclaration concernant la forme et le vide, qui est le point principal du sutra. Et il nous faudra être très clairs et précis quant à la signification du terme « forme ».

La forme est ce qui *est* avant que nous projetions dessus nos concepts. C'est l'état originel de « ce qui est ici », les qualités colorées, vives, impressionnantes, dramatiques, esthétiques qui existent dans toute situation. La forme peut être une feuille d'érable qui tombe d'un arbre et se dépose dans un torrent de montagne; ce peut être la pleine lune, le caniveau de la rue, ou un tas d'ordures. Ces choses sont « ce qui est » et, dans un sens, elles sont toutes identiques : ce sont toutes des formes, ce sont toutes des objets, elles sont juste ce qui est. Les valeurs attachées à elles sont seulement créées plus tard dans nos esprits. Si nous regardons réellement ces choses telles qu'elles sont, ce ne sont que des formes.

Ainsi, la forme est vide. Mais vide de quoi? La forme est vide de nos idées préconçues, de nos jugements. Si nous n'évaluons ni ne catégorisons la feuille d'érable qui tombe et se dépose dans le torrent comme opposée au tas d'ordures new-yorkais, alors ils sont *là,* ce qui *est.* Ils sont vides d'idées préconçues. Ils sont précisément ce qu'ils sont, bien sûr! Les ordures sont des ordures, la feuille d'érable est une feuille d'érable, « ce qui est » est « ce qui est ». La forme est vide si nous la voyons en l'absence de nos propres interprétations personnelles la concernant.

Mais le vide est aussi la forme. C'est une déclaration exorbitante. Nous croyions avoir réussi à tout clarifier, nous croyions avoir réussi à voir que tout est le « même » si nous nous débarrassions de nos idées préconçues. Cela faisait un beau tableau : tout le bon et tout le mauvais que nous voyons sont bons. D'accord! Voilà qui est agréable. Mais le point suivant est que le vide est aussi la forme, aussi faut-il tout reprendre. Ce vide de la feuille d'érable est aussi forme; il n'est pas réellement vide. Le vide du tas d'ordures est aussi forme. Essayer de voir ces choses comme vides est aussi les habiller d'un concept. La forme revient. C'était trop facile, en abandonnant tout concept, de conclure que chaque chose est simplement ce qui est. Ce pouvait être une façon de nous échapper, une autre façon de nous conforter. Il nous faut véritablement *sentir* les choses telles qu'elles sont, il faut voir la qualité inhérente au *tas d'ordures,* la qualité inhérente à la *feuille d'érable, l'essence* des choses, telles qu'elles sont. Il nous faut les sentir correctement, ne pas essayer seulement de les couvrir d'un voile de vide. Cela ne sert à rien. Il nous faut voir l' « être » des choses, les qualités brutes et frustes des choses précisément telles qu'elles sont. C'est une façon très pertinente de voir le monde. Aussi devons-nous d'abord nous débarrasser de toutes nos lourdes idées préconçues, et puis aussi des subtilités de mots tels que « vide », ce qui nous laisse nulle part, complètement avec ce qui est.

Finalement, nous arrivons à la conclusion que la forme est juste la forme, et le vide juste le vide, ce qui est décrit dans les sutras comme la vision que la forme n'est autre que le vide, et que le vide n'est autre que la forme; ils sont indivisibles. Nous voyons que chercher la beauté ou le sens philosophique de la vie est simplement une façon de nous justifier nous-mêmes, en disant que les choses ne sont pas aussi mauvaises que nous le pensons. Mais les choses *sont* aussi mauvaises que nous le pensons! La forme est la forme, le vide est le vide, les choses sont juste ce qu'elles sont, et nous n'avons pas à essayer de les voir à la lumière de quelque espèce de profondeur. Finalement, nous redescendons sur terre, nous voyons les choses telles qu'elles sont. Cela ne veut pas dire que nous ayons une vision mystique inspirée, avec des archanges, des chérubins et de la musique douce. Les choses sont vues telles qu'elles *sont*, dans leurs qualités *propres*. Aussi shunyata dans ce cas est-elle l'absence complète de concepts ou de filtres de quelque sorte, et, même l'absence de la conceptualisation « la forme est le vide » et « le vide est la forme ». Il s'agit de voir le monde de façon directe, sans désirer une « plus haute » conscience, un sens ou une profondeur. C'est juste une perception littéralement directe des choses, comme elles sont dans leur ordre propre.

Nous pourrions demander comment il nous serait possible d'appliquer cet enseignement à la vie quotidienne. On raconte que lorsque le Bouddha donna sa première leçon sur shunyata, quelques-uns des arhats moururent d'un arrêt du cœur sous l'impact de l'enseignement. Dans la méditation assise, ces arhats avaient eu l'expérience de l'absorption dans l'espace, mais ils s'appuyaient encore sur l'espace. En tant qu'ils prenaient encore abri dans quelque chose, il y avait encore une expérience et un expérimentateur. Le principe de shunyata implique que l'on ne prenne appui sur rien, que l'on ne distingue pas entre ceci et cela, que l'on ne soit suspendu nulle part.

Si nous voyons les choses telles qu'elles sont, nous n'avons plus à les interpréter ou à les analyser; nous n'éprouvons plus le besoin de les comprendre en leur surimposant une expérience spirituelle ou des idées philosophiques. Comme a dit un fameux maître Zen : « Quand je mange, je mange; quand je dors, je dors. » Faites juste ce que vous faites, complètement, pleinement. Agir ainsi, c'est être un *rishi*, une personne honnête, authentique, une personne franche, qui ne fait jamais la différence entre ceci et cela. Faire les choses littéralement, directement, comme elles sont. Manger quand on a envie de manger, dormir quand on a envie de dormir. On se réfère parfois au Bouddha en usant du terme *Maharishi,* le Grand Rishi, qui n'essayait pas d'être véridique mais était simplement vrai dans son état d'ouverture.

L'interprétation de shunyata que nous avons examinée est la vision du *Madhyamika* ou « voie du milieu », école philosophique fondée par Nagarjuna. C'est la description d'une réalité expérimentale qui ne peut jamais être exactement décrite, simplement parce que les mots ne sont pas l'expérience. Les mots ou les concepts *indiquent* seulement des aspects partiels de l'expérience. En fait, il est douteux que l'on puisse jamais parler de l' « expérience » de la réalité, puisque cela impliquerait une séparation entre l'expérimentateur et l'expérience. Et, finalement, on peut se demander s'il est même possible de parler de « réalité » puisque cela impliquerait l'existence de quelque connaisseur objectif extérieur à la réalité et séparé d'elle, comme si la réalité était une chose nommable avec des limites définies et des frontières. Aussi l'école Madhyamika parle-t-elle simplement du tathata, « comme c'est ». Nagarjuna préférait de beaucoup approcher la réalité en développant les arguments des autres écoles philosophiques suivant leurs propres termes et en les réduisant logiquement *ad absurdum* plutôt que d'offrir lui-même une définition de la réalité.

Plusieurs autres approches philosophiques majeures des problèmes de la vérité et de la réalité précédèrent et influencèrent le développement de l'école Madhyamika. Ces lignes de pensée trouvèrent leur expression non seulement dans les premières écoles philosophiques bouddhistes, mais aussi dans les approches théistes de l'Hindouisme, du Védantisme, de l'Islam et du Christianisme, et dans la plupart des autres traditions religieuses et philosophiques. Du point de vue de l'école Madhyamika, ces autres approches peuvent être regroupées en trois catégories : les éternalistes, les nihilistes et les atomistes. Les Madhyamikas considéraient que les deux premiers de ces types d'approche étaient faux, et que le troisième était seulement partiellement juste.

La première et la plus évidente de ces « fausses conceptions de la réalité » est l'éternalisme, une approche qui est souvent celle des versions les plus naïves du théisme. Les doctrines éternalistes considèrent que les phénomènes contiennent quelque sorte d'essence éternelle. Les choses naissent et meurent, et, pourtant, elles contiennent une essence impérissable. La qualité de l'existence éternelle doit adhérer à quelque *chose,* aussi, généralement les tenants de ces doctrines souscrivent-ils à la croyance en un Dieu, une âme, un *atman,* un soi ineffable. Ainsi le croyant se persuade-t-il qu'il existe quelque chose de solide, continu et éternel. Il est bien rassurant d'avoir quelque chose de solide à quoi s'accrocher, sur quoi prendre appui, une façon inchangeable de comprendre le monde et la relation que nous entretenons avec lui.

Toutefois, il peut arriver que le croyant en des doctrines éternalistes en vienne à être déçu de ne jamais pouvoir rencontrer son Dieu, de ne jamais pouvoir trouver son âme ou son essence. Cela nous conduit à la conception erronée de la réalité qui vient ensuite, et qui est un peu plus subtile. Cette vue soutient que tout surgit du néant, du mystère. Parfois cette approche se fait jour dans les déclarations à la fois théistes et athées selon lesquelles la divinité est inconnaissable. Le soleil brille, envoie sa lumière sur la terre, aide la vie à se développer, fournit chaleur et luminosité. Mais nous ne pouvons trouver aucune origine à la vie; il n'y a aucun point de départ logique à l'univers. La vie et le monde sont simplement la danse de *maya,* l'illusion. Les choses sont spontanément engendrées à partir de rien. Aussi le néant, le rien joue-t-il un rôle important dans cette approche : quelque inconnaissable réalité est sous-jacente aux phénomènes. L'univers survient mystérieusement; il n'y a aucune possibilité d'explication véritable. Le nihiliste pourrait dire que l'esprit humain ne peut comprendre un tel mystère. Ainsi, dans cette approche de la réalité, le mystère est-il traité comme une *chose.* On se fie à l'idée qu'il n'y a pas de réponse et l'on se repose sur elle comme si c'était une réponse.

L'approche nihiliste évoque l'attitude psychologique du fatalisme. On comprend logiquement que, si l'on fait quelque chose, d'autres choses se produisent par réaction. On voit une continuité de cause à effet, une réaction en chaîne sur laquelle on n'a pas de contrôle. Ce processus de réaction en chaîne surgit du mystère du « rien ». Dès lors, si vous assassinez quelqu'un, c'était votre karma de commettre un meurtre, l'acte était inévitable, prédéterminé. Et, si vous agissez bien, cela n'a rien à voir avec la question de savoir si vous êtes ou non éveillé. Toute chose surgit de ce « rien » mystérieux qu'est l'approche nihiliste de la réalité. C'est une vue fort naïve : on laisse tout au mystère. Et, lorsque nous ne sommes pas tout à fait sûrs de certaines choses qui sont au-delà de la portée de nos idées conceptualisées, nous commençons à paniquer. Notre incertitude nous effraie, et nous essayons de boucher le trou avec quelque chose d'autre. Ce quelque chose d'autre est, en général, une croyance philosophique — dans ce cas, la croyance au mystère. Nous recherchons avidement le rien, nous inspectons tous les recoins sombres dans l'espoir de le trouver. Mais nous n'en trouvons que les miettes. Rien de plus. C'est vraiment très mystérieux! Aussi longtemps que nous continuerons à chercher une réponse conceptuelle, il y aura des zones de mystère, mystère qui est lui-même un autre concept.

Que nous soyons éternalistes, nihilistes ou atomistes, nous postulons constamment qu'il y a un « mystère », quelque chose que nous ne connaissons pas : le sens de la vie, l'origine de l'univers, la clé du bonheur. Nous luttons pour essayer de devenir quelqu'un qui connaît ou qui possède ce mystère, et nous le nommons « Dieu », l' « âme », « atman », *« Brah-*

man », « shunyata » et ainsi de suite. Ce n'est à coup sûr pas l'approche de la réalité de l'école Madhyamika, bien que les premières écoles bouddhistes Hinayana soient tombées dans le piège, dans une certaine mesure, ce qui est la raison pour laquelle leur approche est considérée seulement comme une vérité partielle.

L'approche Hinayana de la réalité voit l'impermanence comme le grand mystère; ce qui est né doit changer et mourir. Il est impossible de voir l'impermanence elle-même, on n'en voit que la manifestation dans la forme. Aussi les Hinayanistes décrivent-ils l'univers en termes d'atomes existants dans l'espace et de moments existants dans le temps. A cet égard, ce sont des pluralistes atomistes. L'équivalent Hinayana de shunyata est la compréhension de la nature transitoire et insubstantielle de la forme. Aussi la méditation hinayana revêt-elle deux aspects : la contemplation des nombreuses manifestations de l'impermanence — les processus de naissance, croissance, déclin, et mort, et leurs développements; et une pratique de l'attention qui voit l'impermanence des événements mentaux. L'arhat examine les événements mentaux et les objets matériels, et il commence à les voir comme des événements atomisés et momentanés. Il découvre ainsi qu'il n'existe aucune substance permanente, aucune chose pourvue de solidité. Cette approche est erronée en ce qu'elle conceptualise l'existence d'entités relatives l'une à l'autre, l'existence de « ceci » relativement à « cela ».

On peut voir l'éternalisme, le nihilisme et le pluralisme atomiste fournir les éléments de différentes combinaisons dans presque toutes les religions et les grandes philosophies de la planète. Du point de vue Madhyamika, ces trois conceptions erronées de la réalité sont virtuellement inévitables aussi longtemps que l'on cherchera une réponse à une question posée d'avance, aussi longtemps que l'on s'évertuera à faire ressortir le soi-disant « mystère » de la vie. La croyance en quelque chose est simplement une façon d'étiqueter le mystère. Yogachara, une école philosophique Mahayana, a essayé d'éliminer ce mystère en découvrant une union entre le mystère et le monde phénoménal.

L'école Yogachara opère principalement une percée épistémologique. Pour cette école, le mystère est intelligence, ce qui connaît. Les Yogacharyans ont dissipé le mystère en posant l'union indivisible de l'intelligence et du phénomène. Dès lors il n'y a pas de connaisseur *individuel,* mais bien plutôt chaque chose « se connaît ». Il y a seulement « un esprit », ce que les Yogacharyans appelaient « cognition autolumineuse », et les pensées, les émotions, les hommes, les arbres en sont des aspects. Aussi la littérature traditionnelle se refère-t-elle à cette école en usant des termes d'école de *citta-matra* ou « esprit seulement ».

L'école Yogachara fut la première école de pensée bouddhiste à transcender la division entre le connaisseur et le connu. Aussi ses adhérents considèrent-ils que la confusion et la souffrance proviennent de la croyance erronée en un connaisseur individuel. Lorsqu'une personne croit qu'elle connaît le monde, l'unique esprit paraît être scindé, quoique en fait sa claire surface soit seulement souillée. La personne, en proie à la confusion, sent qu'elle a des pensées et des actions concernant les phénomènes extérieurs, et elle est ainsi prise dans une constante situation d'action et de réaction. La personne illuminée réalise que les pensées et les émotions d'un côté, et le soi-disant monde extérieur de l'autre, sont *tous deux* un « jeu de l'esprit ». Elle n'est donc pas prise dans le dualisme du sujet et de l'objet, de l'intérieur et de l'extérieur, du connaisseur et du connu, de je et l'autre. Chaque chose se connaît.

Toutefois, Nagarjuna contesta la proposition yogacharin « esprit seulement » et, en fait, questionna l'existence même de l' « esprit ». Il étudia les douze volumes des Écritures de la *Prajnaparamita,* qui proviennent de la seconde mise en mouvement de la Roue de la Doctrine par le Bouddha, l'enseignement de la période du milieu de sa vie. Les conclusions de Nagarjuna sont résumées par le principe du « non-appui », principe fondamental de l'école Madhyamika. Nagarjuna disait que n'importe quelle vue philosophique était réfutable, et que l'on ne doit s'appuyer sur aucune réponse ou description de la réalité, qu'elle soit extrême ou modérée, y compris la notion d' « un esprit ». Même le fait de dire que le non-appui est une réponse est illusoire, car on ne doit pas s'appuyer sur le non-appui. La voie de Nagarjuna était une voie de non-philosophie, qui n'était pas du tout une autre philosophie. Il disait : « Le sage ne doit pas non plus prendre appui sur le milieu. »

La philosophie Madhyamika est une vue critique de la théorie yogacharin selon laquelle toute chose est un aspect de l'esprit. L'argument Madhyamika est le suivant : « Pour pouvoir dire que l'esprit existe ou que tout est le jeu d'un seul esprit, il faut quelqu'un qui observe l'esprit, le connaisseur de l'esprit qui atteste son existence. » Aussi le Yogachara dans son ensemble est-il nécessairement une théorie énoncée par cet observateur. Mais, selon la propre philosophie de la « cognition autolumineuse » des Yogacharyans, les pensées subjectives *au sujet* d'un objet sont illusoires, puisqu'il n'y a ni sujet ni objet, mais seulement l'esprit un dont fait partie l'observateur. Il est dès lors impossible d'affirmer que l'esprit un existe. Comme l'œil, la « cognition autolumineuse » ne peut se voir elle-même, de même qu'un rasoir ne peut se couper lui-même. D'après les propres déclarations des Yogacharyans, il n'y a personne pour savoir que l'esprit un existe.

Que pouvons-nous dire alors de l'esprit ou de la réalité? Puisqu'il n'y a personne pour percevoir un esprit ou une réalité, la notion d'existence en termes de « choses » et de « forme », est illusoire; il n'y a pas de réalité, personne pour la percevoir, et pas de pensées dérivant de la perception de la réalité. Une fois que nous nous sommes débarrassés de ces idées préconçues touchant l'existence de l'esprit et de la réalité les situations apparaissent clairement, telles qu'elles sont. Il n'y a personne pour observer, personne pour connaître quoi que ce soit. La réalité *est* simplement, et c'est ce qui est signifié par le terme « shunyata » — par cette vision l'observateur qui nous sépare du monde disparaît.

Comment, dès lors, surgit la croyance en un « je » et comment débute tout le processus névrotique? Grosso modo, selon les Madhyamikas, à chaque fois qu'intervient la perception d'une forme, il y a une réaction immédiate de fascination et d'incertitude de la part de l'hypothétique sujet percevant la forme. Cette réaction est presque instantanée. Elle prend seulement une fraction de fraction de seconde. Et dès que nous avons reconnu ce qu'est la chose, notre réponse suivante est de lui donner un nom. Avec le nom, bien sûr, vient le concept. Nous avons tendance à conceptualiser l'objet, ce qui signifie qu'à ce point nous ne sommes plus capables de percevoir les choses telles qu'elles sont véritablement. Nous avons créé une sorte de rembourrage, de filtre ou de voile entre nous-mêmes et l'objet. C'est ce qui empêche la présence d'un état d'éveil continuel à la fois pendant et après la pratique de la méditation. Ce voile fait disparaître la conscience panoramique et la présence de l'état de méditation, parce que nous ne cessons d'être incapables de voir les choses telles qu'elles sont. Nous nous sentons obligés de nommer, de traduire, de penser discursivement, et cette activité nous emporte très loin de la perception directe et aiguë. Aussi shunyata n'est-elle pas seulement conscience de ce que nous sommes et de la relation qui nous unit à tel ou tel objet, elle est surtout la clarté qui transcende le rembourrage conceptuel et les confusions superflues. On n'est plus ni fasciné par l'objet, ni impliqué comme sujet. On est libéré de *ceci* et *cela*. Ce qui subsiste est l'espace ouvert, l'absence de la dichotomie du ceci-et-cela. C'est bien ce qui est signifié par la Voie du Milieu ou Madhyamika.

L'expérience de shunyata ne peut être développée sans

que l'on ait d'abord travaillé le long du sentier étroit de la discipline et de la technique. La technique est nécessaire pour commencer, mais il est aussi nécessaire qu'à un certain moment elle tombe au loin. Du point de vue ultime, l'ensemble du processus d'apprentissage et de pratique est complètement inutile. Il se peut qu'il nous arrive de percevoir l'absence de l'ego d'un seul coup d'œil. Mais nous n'accepterions pas une vérité aussi simple. En d'autres termes, il nous faut apprendre à désapprendre. L'ensemble du processus consiste à défaire l'ego. On commence par apprendre à aborder les pensées névrotiques et les émotions. Puis, les concepts erronés sont balayés par la compréhension de la vacuité, de l'ouverture. C'est l'expérience de shunyata. Shunyata, en sanscrit, signifie littéralement « vide » ou « vacuité », c'est-à-dire « espace », l'absence totale d'attitudes conceptualisées. Aussi Nagarjuna dit-il dans son *Commentaire sur le Madhyamika :* « De même que le soleil dissipe les ténèbres, de même le sage parfait a-t-il vaincu les habitudes erronées de l'esprit. Il ne voit pas l'esprit ou la pensée dérivant de l'esprit. »

Le *Sutra du Cœur* se termine par « la grande invocation » ou mantra. Il dit, dans la version tibétaine : « Aussi le *mantra* [1] de la connaissance transcendante, le mantra de la profonde compréhension, le mantra insurpassé, le mantra inégalé, le mantra qui calme toute souffrance, doit-il être connu comme vrai, car il ne trompe pas. » La puissance de ce mantra ne vient pas de quelque pouvoir mystique ou magique fictif affecté aux mots, mais de leur sens. Il est intéressant qu'après avoir examiné shunyata – la forme est vide, le vide est forme, la forme n'est autre que le vide, le vide est identique à la forme, etc. –, le sutra continue en parlant du mantra. Au début il est question de l'état de méditation, et, à la fin, d'un mantra, de mots. C'est parce qu'au début il nous faut développer la confiance que nous plaçons dans notre compréhen-

1. Parole *(NdT)*.

sion, en balayant toutes les idées préconçues; nihilisme, éternalisme, toutes les croyances doivent être pourfendues, transcendées. Et lorsqu'une personne est complètement exposée, complètement déshabillée, complètement démasquée, complètement nue, complètement ouverte — à ce moment précis elle voit le pouvoir du mot. Lorsque l'hypocrisie fondamentale, absolue, ultime, a été démasquée, alors on commence à voir véritablement le joyau briller de tous ses feux : la qualité énergétique, vivante, de l'ouverture, la qualité vivante de l'abandon, la qualité vivante de la renonciation.

La renonciation dans ce cas ne consiste pas seulement à jeter au loin, mais aussi, une fois que l'on a tout jeté au loin, à commencer à sentir la qualité vivante de la paix. Et cette paix particulière n'est pas une paix faible, une ouverture faible, mais elle a un fort caractère, une qualité invincible, une qualité indestructible, parce qu'elle n'admet pas de failles, d'hypocrisie. C'est une paix complète, en toutes directions, de sorte qu'il ne reste pas le moindre obscur recoin laissé au dogme ou à l'hypocrisie. L'ouverture complète est la complète victoire parce que nous n'avons pas peur, nous n'essayons pas du tout de nous défendre. C'est donc un grand mantra. On aurait pu croire qu'au lieu de dire : *Om gate gate paragate parasamgate bodhi svaha,* ce mantra aurait dit quelque chose sur shunyata. *Om shunyata mahashunyata* — ou une formule du même genre. A la place, il dit, *Gate gate* — « allé, allé, allé au-delà, complètement allé ». C'est beaucoup plus fort que de dire « shunyata », parce que le mot « shunyata » pourrait impliquer une interprétation philosophique. Au lieu de formuler quelque chose de philosophique, ce mantra expose ce qui gît derrière la philosophie. Aussi est-ce *gate gate* — « allé, abandonné, débarrassé de, ouvert ». Le premier *gate* est « débarrassé du voile des émotions conflictuelles ». Le second *gate* représente le voile des croyances primitives concernant la réalité. C'est-à-dire que le premier *gate* représente l'idée que « la forme est vide », tandis que le second se réfère à « le vide est la forme ». Le mot suivant du mantra est *paragate* — « allé au-delà, complètement exposé ». Maintenant la forme est la forme — *paragate* — et ce n'est pas seulement que la forme est la forme, mais le vide est le vide — *parasamgate* — complètement allé au-delà. *Bodhi. Bodhi* ici signifie « complètement éveillé ». Le sens est « abandonné, complètement démasqué, nu, complètement ouvert ». *Svaha* est une fin traditionnelle pour les mantras qui signifie : « Soit! ». « Allé, allé, allé au-delà, complètement exposé, éveillé, soit! »

Q. Comment le désir mène-t-il à la naissance?

R. A chaque fois qu'il y a désir, il y a nouvelle naissance. On plante du vouloir, vouloir faire quelque chose, vouloir saisir quelque chose. Puis ce désir de saisir entraîne quelque chose de plus. Naissance ici signifie naissance de plus de confusion, plus d'insatisfaction, plus de désir. Par exemple, si nous avons un grand désir d'argent et si nous nous débrouillons pour en faire beaucoup, nous voudrons acheter quelque chose avec cet argent. Une chose mène à la suivante, c'est une réaction en chaîne, de telle sorte que le désir devient une sorte de filet. Nous voulons quelque chose, nous voulons tirer quelque chose à nous, continuellement.

L'expérience de shunyata, de la vision précise et claire de ce qui est, coupe, en quelque façon, ce filet, cette toile d'araignée, parce que la toile d'araignée est tissée dans l'espace du désir, l'espace du vouloir. Et, lorsque l'espace de shunyata remplace, pour ainsi dire, l'espace du désir, l'ensemble de la formulation conceptualisée du désir est complètement éliminé, comme si l'on était sur une autre planète, avec un air différent, ou sur un endroit totalement dépourvu d'oxygène. Aussi shunyata fournit-elle une nouvelle atmosphère, un nouvel environnement, qui n'offre aucune prise à l'avidité ou au cramponnement. Dès lors, l'expérience de shunyata rend également impossible la plantation de la graine du karma, et c'est la raison pour laquelle on dit que shunyata est ce qui donne naissance à tous les bouddhas, à tous les éveillés. « Éveillé » signifie que l'on n'est pas impliqué dans les réactions en chaîne et les complications du processus karmique.

Q. Pourquoi beaucoup d'entre nous ont-ils une forte tendance à ne pas voir les choses telles qu'elles sont réellement?

R. Je crois que c'est largement parce que nous avons peur de voir ça.

Q. Pourquoi avons-nous peur de voir ça?

R. Nous voulons rester reliés à notre ego par un cordon ombilical par lequel nous puissions nous alimenter tout le temps.

Q. Cette compréhension de « le vide est la forme » peut-elle être atteinte par la pratique de techniques de méditation, ou doit-elle venir à nous spontanément?

R. La perception de shunyata n'est pas réalisée par la pratique de gymnastiques mentales, il s'agit de *voir* vraiment. Shunyata peut être perçue lorsque l'on est en posture de méditation, ou bien vue dans les situations de la vie. Il n'y a aucun modèle préconçu pour le produire. Naropa, le grand yogin indien, perçut shunyata lorsque son maître ôta sa sandale et le frappa à la joue. A ce moment précis, il l'a vue. Cela dépend de la situation individuelle.

Q. Alors ce n'est pas quelque chose que l'on cherche?

R. Si l'on est réellement vif, réellement attaché à la trouver, complètement attaché à la comprendre, alors il faut arrêter de la chercher.

Q. J'ai du mal à concilier la notion de shunyata avec ce qui se passe ici et maintenant.

R. L'expérience de shunyata ne signifie pas que vous cessez de percevoir, de vivre sur la terre. Vous continuez de vivre sur la terre, mais vous voyez plus précisément ce qui est ici. Nous croyons connaître les choses telles qu'elles sont. Mais nous en voyons seulement notre version, qui n'est pas très complète. Il y a beaucoup plus à apprendre sur les véritables subtilités de la vie. Les choses que nous voyons sont une version très fruste de ce qui est. L'expérience de shunyata ne signifie pas que le monde entier se dissout complètement dans l'espace, mais que l'on commence à remarquer l'espace, de telle sorte que le monde est, en quelque façon, moins encombré. Par exemple, si nous sommes sur le point de communiquer avec quelqu'un, il se peut que nous nous préparions à lui dire ceci et cela pour le calmer ou lui expliquer les choses. Mais voilà qu'il arrive avec tellement de complications personnelles et qu'il déverse tant de choses, qu'avant même que nous sachions où nous sommes, il nous a complètement remplis de sa confusion. Nous partageons sa confusion au lieu de garder cette clarté que nous avions préparée au début. Nous avons été complètement absorbés par sa confusion. Aussi shunyata signifie-t-elle voir à travers la confusion. On reste tout le temps clair et précis.

Q. Et, avec cette expérience, on reste en vie dans le monde?

R. Bien sûr! Voyez-vous, l'illumination n'est pas la mort. Sinon ce serait une espèce de suicide, ce qui est ridicule. C'est l'approche nihiliste qui essaie de s'échapper du monde.

Q. Une personne illuminée est-elle omnisciente?

R. J'ai bien peur que ce soit une conclusion erronée dérivée de la théorie yogacharin de l'esprit un, théorie qui est aussi apparue dans d'autres traditions religieuses et philosophiques. L'idée est qu'une personne illuminée devient l'esprit un, et qu'elle connaît dès lors tout ce qui fut jamais, tout ce qui est, et tout ce qui peut être. On rencontre toujours ce type de spéculation sauvage lorsque les gens sont impliqués dans le « mystère », l'inconnaissable. Mais j'ai bien peur qu'il n'existe en réalité rien de tel que l'esprit un.

Q. Comment commence-t-on à voir ce qui est?

R. En ne commençant pas, en abandonnant l'idée d'un commencement. Si vous essayez d'affirmer un territoire particulier – mon expérience – vous n'allez pas voir shunyata. Il vous faut complètement abandonner l'idée de territoire. C'est faisable, ce n'est pas impossible. Il ne s'agit pas seulement de spéculation philosophique. On peut abandonner l'idée de territoire, on *peut* ne pas commencer.

Q. Cela fait-il partie du non-commencement d'essayer tellement que l'on abandonne par épuisement? Peut-on abandonner avant d'avoir essayé? Y a-t-il un raccourci? Le singe doit-il parcourir l'ensemble du processus consistant à se taper la tête contre les murs et à être halluciné?

R. Je crois qu'il le faut. L'illumination subite vient seulement avec l'épuisement. Sa soudaineté ne signifie pas nécessairement qu'il y a un raccourci. Dans certains cas, il arrive que les gens fassent l'expérience d'un subit éclair illuminant, mais s'ils ne fraient pas leur chemin, leurs modèles mentaux habituels reviendront, et leurs esprits seront à nouveau encombrés. Il faut faire le voyage parce que, comme on l'a dit, c'est au moment où vous commencez à être déçu que ça y est.

Q. Cela semble nous ramener au sentier hinayana de la discipline. Est-ce juste?

R. Oui, la méditation est un dur travail, un travail manuel, pour ainsi dire.

Q. Une fois que l'on a commencé, il semble que l'on ait quelque chose à faire.

R. Il y a quelque chose à faire, mais, en même temps, tout ce que nous faisons est seulement en relation avec le moment présent, et non plus avec l'atteinte de quelque but futur, ce qui nous ramène à la pratique de la méditation. Dans la méditation, il n'est pas question de commencer à poser les pieds sur le sentier; il s'agit de réaliser que l'on est déjà sur le chemin — que l'on est complètement dans l'instant présent — maintenant, maintenant, maintenant. On ne commence pas véritablement parce que l'on n'a jamais réellement quitté le sentier.

Q. Vous avez décrit les gens illuminés comme étant libres de la chaîne karmique. J'aimerais savoir ce que vous avez voulu dire, parce qu'il me semble qu'ils créent une nouvelle chaîne karmique.

R. Le mot « karma » signifie « création » ou « action » — réaction en chaîne. Par exemple, en pensant à l'avenir, nous semons une graine dans le présent. Les gens illuminés ne font pas de plans pour l'avenir, parce qu'ils n'ont pas le souci de leur sécurité. Ils n'ont plus besoin de connaître le modèle du futur. Ils ont vaincu l'idée préconçue de « futur ». Ils sont pleinement dans le maintenant. Ce maintenant porte en lui potentiellement l'avenir, comme aussi le passé. Les gens illuminés ont complètement maîtrisé les activités incessantes et paranoïdes de l'esprit. Ils sont complètement, pleinement dans l'instant présent; dès lors, ils ne sont plus contraints à semer de nouvelles graines de karma. Lorsque l'avenir arrive, ils ne le voient pas comme un résultat de leurs bonnes actions passées; ils le voient tout le temps comme présent. Aussi ne créent-ils plus de réactions en chaîne.

Q. La « qualité éveillée » diffère-t-elle du simple fait d'être ici et maintenant?

R. Oui. L'illumination consiste à être *éveillé* dans l'ici et maintenant. Par exemple, les animaux et les petits enfants vivent dans le présent; mais c'est très différent du fait d'être éveillé ou illuminé.

Q. Je ne comprends pas très bien ce que vous voulez dire par : les animaux et les petits enfants vivent dans le présent. Quelle est la différence entre vivre dans le présent de cette façon, et être illuminé?

R. Je crois que c'est la question de la différence entre prendre appui sur quelque chose et être réellement dans l'ici et maintenant en termes d'« éveil ». Dans le cas d'un petit enfant ou d'un animal, ils sont ici et maintenant, mais prennent appui sur l'ici et maintenant. Ils en reçoivent une sorte d'action en retour, même s'il se peut qu'ils ne le remarquent pas consciemment. Dans le cas d'un être illuminé, il ne s'appuie pas sur l'idée – « Je suis un être illuminé » – parce qu'il a complètement transcendé l'idée de « Je suis ». Il est, pleinement, c'est tout. La division sujet-objet a été complètement transcendée.

Q. Si l'être illuminé est dépourvu d'ego et ressent les souffrances et la tristesse de ceux qui l'entourent, mais pas nécessairement sa propre douleur, appellera-t-on « désir » sa volonté de les aider à surmonter leurs difficultés?

R. Je ne le pense pas. Le désir survient lorsque vous voulez voir quelqu'un heureux. Lorsque cette personne est heureuse, alors vous vous sentez heureux parce que les actions que vous avez engagées pour la rendre heureuse étaient, dans un sens, destinées à vous-mêmes plutôt qu'à l'autre. *Vous* désirez la voir heureuse. Un être illuminé n'adopte pas une telle attitude. Chaque fois que quelqu'un a besoin de son aide, il la donne, simplement; cela n'implique ni autogratification ni autocongratulation.

Q. Pourquoi avez-vous nommé votre centre Karma Dzong?

R. *Karma* signifie « action » aussi bien qu' « activité de bouddha », et *dzong* est le mot tibétain pour « forteresse ». Les situations se présentent simplement d'elles-mêmes au lieu d'être délibérément préméditées. Elles se développent perpétuellement, elles surviennent tout à fait spontanément. Il semble aussi y avoir une quantité formidable d'énergie dans ce centre, ce qui peut aussi être dit du karma. C'est une énergie qui n'est détournée par personne, l'énergie qui est dans la forteresse. Ce qui arrive ne pouvait qu'arriver. Cela prend la forme de relations karmiques spontanées, plutôt que d'un travail missionnaire ou d'un prosélytisme bouddhisant.

Q. Quelle relation établissez-vous entre le samadhi et le nirvana et le concept de shunyata?

R. C'est une question de mots. Ce n'est pas une question de différences; l'accent est placé différemment. Le samadhi est un engagement complet, le nirvana est la liberté, et les deux sont reliés avec shunyata. Lorsque nous faisons l'expérience de shunyata, nous y sommes complètement engagés, sans la division dualiste sujet-objet. Nous sommes aussi libérés de la confusion.

Prajna et compassion

En examinant shunyata, nous avons découvert que nous imposons nos idées préconçues, nos versions des choses sur les phénomènes au lieu de voir les choses telles qu'elles sont. Une fois que nous sommes capables de voir à travers le voile de nos idées préconçues, nous réalisons que c'était une façon confuse et non nécessaire d'attacher des poignées aux expériences, sans nous occuper de savoir si ces poignées conviennent. En d'autres termes, les idées préconçues sont une forme de sécurité. Lorsque nous voyons une chose, immédiatement, nous la nommons et la plaçons dans une catégorie. Mais la forme est vide; elle n'a pas besoin de nos catégories pour exprimer sa pleine nature, pour être ce qu'elle est, la forme est *en soi* vide de préconception.

Mais le vide est forme. Cela signifie qu'à ce niveau de compréhension, nous valorisons trop le fait de voir la forme dépouillée d'idées préconçues. Nous voudrions faire l'expérience de ce type de vision, comme si le fait de voir la forme comme vide était un état que nous pouvons obliger nos esprits à atteindre. Nous recherchons le vide, de telle sorte que cela aussi devient une chose, une forme, et non plus le véritable vide. C'est un problème d'excès d'ambition.

Le stade suivant consiste donc à abandonner notre ambition de voir la forme comme vide. A ce point, la forme émerge réellement de derrière le voile de nos idées préconçues. La forme est la forme, nue, sans aucune implication philosophique sous-jacente. Et le vide est le vide; il n'y a rien à quoi s'accrocher. Nous avons découvert l'expérience de la non-dualité.

Cependant, ayant réalisé que la forme est forme et le vide, vide, nous apprécions encore notre percée dans la non-dualité. Il y a encore quelqu'un pour connaître, pour faire l'expérience de la percée. Il y a la conscience que quelque chose a été ôté, que quelque chose manque. Subtilement, nous prenons appui sur la non-dualité. Nous entrons ici dans une phase de transition entre le Sentier Mahayana et le Tantra, dans lequel prajna est une expérience continue, et où la compassion n'est plus calculée. Mais il y a encore quelque conscience de soi, notre propre prajna et compassion, quelque contrôle et appréciation de nos actions.

Comme nous l'avons vu lorsque nous avons parlé de l'action du bodhisattva, prajna est un mode d'être très clair, précis et intelligent. Elle a une qualité aiguë, la capacité de pénétrer et révéler les situations. La compassion est l'atmosphère ouverte dans laquelle prajna voit. C'est une conscience ouverte des situations qui déclenche l'action informée par l'œil de prajna. La compassion est très puissante, mais elle doit être dirigée par l'intelligence de prajna, de même que l'intelligence a besoin de l'atmosphère d'ouverture fondamentale de la compassion. Les deux doivent survenir simultanément.

La compassion contient une fondamentale absence de peur, dépourvue de toute hésitation. Cette absence de peur est marquée par une immense générosité, en contraste avec la témérité qui consiste à jouer de son pouvoir sur les autres. Cette « généreuse absence de peur » est la nature fondamentale de la compassion et transcende l'instinct animal de l'ego. L'ego cherche à asseoir son territoire, tandis que la compassion est complètement ouverte et accueillante. C'est une attitude de générosité qui n'exclut personne.

La compassion commence à jouer un rôle dans la pratique de la méditation lorsque l'on fait l'expérience, non seulement du calme et de la paix, mais aussi de la chaleur. Il y a un grand sentiment de chaleur qui fait surgir une attitude d'ouverture et d'accueil. Lorsque cette sensation apparaît, il n'y a plus aucune angoisse, ni aucune peur que des agents extérieurs viennent contrecarrer notre pratique de la méditation.

Cette chaleur instinctive, qui est développée dans la pratique de la méditation, s'étend aussi à l'expérience post-méditative de la conscience. Avec ce type de conscience véritable, nous ne pouvons nous dissocier de notre activité, ce serait impossible. Si nous essayons de nous concentrer sur notre action – faire du thé, ou n'importe quelle activité quotidienne – et que nous essayons en même temps d'être conscients, nous vivons dans un état de rêve. Comme a dit un grand maître tibétain : « Essayer maladroitement de combiner la conscience et l'action est comme vouloir mélanger l'huile à l'eau. » La véritable conscience éveillée doit être ouverte plus que méfiante ou protectrice. C'est l'ouverture de l'esprit, l'expérience de l'espace ouvert à l'intérieur d'une situation. Il se peut que nous travaillions, et que la conscience éveillée opère dans le contexte de notre travail, ce qui serait alors la pratique de la compassion et de la méditation.

En général, la conscience éveillée est absente de nos vies; nous sommes complètement absorbés par ce que nous faisons, et nous oublions le reste de ce qui nous entoure, nous nous en séparons hermétiquement. Tandis que la force positive de la compassion et de prajna est ouverte et intelligente, aiguë et pénétrante, dispensatrice d'une vue panoramique de la vie qui ne révèle pas seulement des actions et des événements spécifiques, mais aussi bien l'ensemble de leur environnement. Ceci crée la situation propre à la communication avec autrui. Dans nos rapports avec les autres, il nous faut non seulement être conscients de ce qu'ils disent, mais aussi être ouverts à toute la tonalité de leur être. Les paroles effectivement prononcées par une personne, et son sourire, représentent seulement une petite fraction de sa communication. La qualité de sa présence, la façon dont elle se présente à nous, sont tout aussi importantes. Cela communique bien plus que de simples mots.

Lorsqu'une personne est à la fois sage et compatissante, ses actions sont très adroites et irradient une énorme énergie. Cette action adroite est connue sous le nom d'*upaya,* « moyens habiles ». Ici, « habile » ne signifie pas détourné ou diplomatique. Upaya survient simplement en réponse à une situation. Si une personne est totalement ouverte, sa réponse à la vie sera très directe, peut-être même outrageuse d'un point de vue conventionnel, parce que les « moyens habiles » ne permettent aucune absurdité. Ils révèlent et traitent les situations pour ce qu'elles sont : c'est une énergie extrêmement adroite et précise. Si les couvertures et les masques que nous portons devaient être soudain arrachés par cette énergie, ce serait extrêmement douloureux. Ce serait embarrassant parce que nous nous retrouverions sans rien sur nous, complètement nus. En un pareil moment, il se pourrait que ce type d'ouverture et d'abord immédiat, la nature outrageusement directe de prajna et de la compassion, nous paraisse extrêmement froid et impersonnel.

Pour la façon de penser conventionnelle, la compassion signifie simplement être gentil et chaleureux. Les Écritures parlent de cette sorte de compassion comme d'un « amour de grand-mère ». On peut s'attendre à ce que la personne qui pratique ce type de compassion soit extrêmement douce et gentille, elle ne ferait pas de mal à une mouche. Si nous avons besoin d'un autre masque, d'une autre couverture pour nous réchauffer, elle nous les fournira. Mais la véritable compassion est impitoyable, du point de vue de l'ego, parce qu'elle ne prend pas en considération la tendance de l'ego à se maintenir. C'est la « folle sagesse ». Elle est totalement sage, mais folle, aussi, parce qu'elle ne tient pas compte des tentatives simplistes et maladroites de l'ego en vue d'assurer son propre confort.

La voix logique de l'ego nous conseille d'être gentils avec les autres, d'être de bons garçons et de bonnes filles, et de mener d'innocentes petites vies. Nous travaillons régulièrement, et nous louons une belle piaule ou un bel appartement pour notre usage personnel; nous ne demandons qu'à continuer de cette façon, mais soudain quelque chose survient qui nous arrache à notre petit nid douillet. Nous devenons extrêmement déprimés, ou quelque chose d'outrageusement douloureux survient. Nous commençons à nous demander pourquoi le ciel est si dur avec nous : « Pourquoi Dieu me punit-il? J'ai été une bonne personne, je n'ai jamais blessé un être. » Mais la vie, c'est plus que cela.

Qu'essayons-nous de mettre en sécurité? Pourquoi sommes-nous tellement occupés à nous protéger? L'énergie soudaine de la compassion sans pitié nous arrache à notre confort et à notre sécurité. Si nous ne devions jamais avoir l'expérience de ce type de choc, nous ne serions pas en mesure de croire. Il nous faut être secoués de nos styles de vie réguliers, répétitifs et confortables. La méditation ne consiste pas simplement à être une personne honnête et bonne dans le sens conventionnel, à essayer seulement de maintenir sa sécurité. Il nous faut commencer à devenir compatissants et sages dans le sens fondamental, ouverts et en relation avec le monde tel qu'il est.

Q. Pourriez-vous nous parler de la différence fondamentale entre l'amour et la compassion, et de la relation qu'ils entretiennent l'un avec l'autre?

R. Amour et compassion sont des termes vagues; on peut les interpréter de bien des manières. Généralement, dans nos vies, nous voulons nous saisir des choses lorsque nous les abordons, nous essayons de nous attacher aux différentes situations pour garantir notre sécurité. Peut-être considérons-nous quelqu'un comme notre bébé, ou bien, d'un autre côté, aimerions-nous être considérés comme des enfants en bas âge, et sauter sur les genoux de quelqu'un. Ces genoux peuvent appartenir à un individu, une organisation, une communauté, un maître, quelque figure parentale. Les relations de soi-disant « amour » entrent généralement dans l'un de ces deux moules : ou bien quelqu'un nous nourrit, ou bien nous nourrissons les autres. Ce sont des modes erronés, distordus, d'amour ou de compassion. Le besoin d'engagement, d' « appartenance » — le désir d'être l'enfant de quelqu'un, ou que les autres soient nos enfants — est tout aussi puissant. Un individu, une organisation, une institution, quoi que ce soit, pourrait devenir notre enfant; nous le langerions, lui donnerions du lait, aiderions à sa croissance. Ou bien, l'organisation est la grande mère qui nous nourrit en permanence. Nous ne pouvons exister, survivre, sans notre « mère ». Ces deux modèles sont applicables à n'importe quelle énergie vitale capable de nous sustenter. Cette énergie peut être aussi simple qu'une amitié accidentelle, ou une activité excitante que nous aimerions entreprendre, et elle peut être aussi complexe qu'un mariage ou le choix d'une carrière. Ou bien nous aimerions contrôler l'excitation, ou bien nous aimerions nous y intégrer.

Il existe cependant un autre type d'amour et de compassion, une troisième voie. Être simplement ce que vous êtes. Ne pas vous réduire au niveau d'un enfant, ni demander qu'autrui saute sur vos genoux. Simplement être ce que vous êtes dans le monde, dans la vie. Si vous pouvez être ce que vous êtes, les situations extérieures deviendront ce qu'elles sont, automatiquement. Alors, vous pouvez communiquer de façon directe et aiguë, sans vous livrer à aucune espèce d'absurdité, à aucune espèce d'interprétation émotionnelle, philosophique ou psychologique. Cette troisième voie est une voie équilibrée d'ouverture et de communication qui dégage automatiquement une énergie formidable, de la place pour un développement créateur, de l'espace dans lequel danser et échanger.

Ma compassion signifie que nous ne jouons pas le jeu de l'hypocrisie ou de l'auto-illusion. Par exemple, si nous voulons quelque chose de quelqu'un et si nous lui disons « Je t'aime », nous espérons souvent arriver à le leurrer dans notre territoire, de notre côté. Ce type d'amour-prosélyte est extrêmement limité. « Tu devrais m'aimer, même si tu me hais, parce que je suis plein d'amour, je plane dans l'amour, je suis complètement ivre d'amour! » Qu'est-ce que cela signifie? Simplement que l'autre devrait venir dans votre territoire parce que vous dites que vous l'aimez, que vous n'allez pas lui faire de mal. C'est plutôt louche. Aucune personne intelligente ne sera séduite par un tel traquenard. « Si tu m'aimes réellement comme je suis, pourquoi tiens-tu à ce que je vienne dans ton territoire? Pourquoi cette histoire de territoire, et cette exigence? Qu'attends-tu de moi? Comment savoir, si je pénètre dans ton territoire amoureux, que tu ne vas pas me dominer, que tu ne vas pas créer une situation claustrophobique avec tes lourdes demandes d'amour? » Aussi longtemps que l'amour, pour quelqu'un, implique un territoire, les autres se méfieront de son attitude « amoureuse » et « compatissante ». Comment être sûrs, si une fête est préparée pour nous, que la nourriture n'est pas empoisonnée? Cette ouverture provient-elle d'une personne centrée sur elle-même, ou est-ce une totale ouverture?

La caractéristique fondamentale de la véritable compassion est une pure ouverture dépourvue de frayeur et sans limitations territoriales. Il n'est pas nécessaire d'être aimable et gentil avec les voisins, pas nécessaire de parler plaisamment aux gens et d'arborer un joli sourire. Ce petit jeu n'est pas de mise. En fait, il est embarrassant. La véritable ouverture existe sur une échelle beaucoup plus vaste, une échelle d'une ampleur et d'une ouverture révolutionnaires, une échelle universelle. La compassion signifie être les adultes que vous êtes, en conservant une qualité d'enfance. Dans les enseignements bouddhistes, le symbole de la compassion, comme je l'ai déjà dit, est une lune brillant dans le ciel, et son image reflétée dans une centaine de bols emplis d'eau. La lune ne demande pas : « Si tu t'ouvres à moi, je te ferai la faveur de répandre ma clarté sur toi », la lune brille, simplement. Nous n'avons pas à vouloir faire du bien à quiconque, ou à vouloir rendre les autres heureux. Il n'y a pas de public, pas de « moi » et « eux ». Il s'agit d'un don ouvert, d'une complète générosité, sans les notions relatives de donner et recevoir. Telle est l'ouverture fondamentale de la compassion : s'ouvrir sans rien exiger. Simplement être ce que vous êtes, être maîtres de la situation. Si vous « êtes » seulement, alors la vie coule autour de vous et au travers de vous. Cela vous conduira au travail et à la communication avec autrui, ce qui, bien sûr, exige une chaleur et une ouverture considérables. Si vous pouvez vous permettre d'être ce que vous êtes, vous n'avez plus besoin de la « police d'assurance » qui consiste à essayer d'être bon, pieux, compatissant.

Q. Cette compassion impitoyable semble cruelle.

R. L'approche conventionnelle de l'amour ressemble à l'attitude d'un père extrêmement naïf qui souhaite aider ses enfants à satisfaire tous leurs désirs. Il leur donnera tout : de l'argent, de la boisson, des armes, de la nourriture, tout ce qui peut les rendre heureux. Toutefois, il peut exister une autre sorte de père qui n'essaie pas seulement de rendre ses enfants heureux, mais œuvre en vue de leur santé fondamentale.

Q. Pourquoi une personne véritablement compatissante se soucierait-elle de donner quoi que ce soit?

R. Il ne s'agit pas exactement de donner, mais de s'ouvrir, d'entrer en relation avec autrui. Il est question de reconnaître l'existence des autres tels qu'ils sont, plutôt que d'établir avec eux une relation en termes de confort ou d'inconfort selon une idée immuable et préconçue.

Q. La notion de compassion impitoyable n'est-elle pas porteuse d'un danger considérable d'auto-illusion? Quelqu'un peut penser qu'il est impitoyablement compatissant, alors qu'en fait il décharge seulement ses agressions.

R. C'est tout à fait sûr. Et c'est bien parce que c'est une notion aussi dangereuse que j'ai attendu jusqu'à maintenant pour la présenter, après avoir examiné le matérialisme spirituel et le sentier bouddhiste en général, et avoir posé les bases d'une compréhension intellectuelle. Au stade dont je parle, si un étudiant doit véritablement pratiquer la compassion impitoyable, cela suppose qu'il a déjà abattu un travail considérable : méditer, étudier, pourfendre, découvrir l'auto-illusion et le sens de l'humour, et ainsi de suite. Lorsqu'on a fait l'expérience de ce processus, que l'on a réalisé ce voyage long et difficile, la découverte suivante est celle de la compassion et de prajna. Mais il serait extrêmement dangereux d'essayer de pratiquer la compassion impitoyable avant d'avoir beaucoup étudié et médité.

Q. Peut-être que l'on peut développer un certain type d'ouverture, de compassion envers les autres. Mais on découvre bientôt que même cette compassion est encore limitée, que c'est toujours un modèle. Faisons-nous toujours confiance à notre ouverture pour venir à bout de la situation? N'y a-t-il pas une façon de nous assurer que nous ne nous dupons pas?

R. C'est très simple. Si nous nous dupons, nous commençons toujours, automatiquement, par passer un accord avec nous-mêmes. Chacun en a certainement fait l'expérience. Par exemple, si, parlant à quelqu'un, nous tenons des propos exagérés, avant même d'ouvrir la bouche, nous nous dirons : « Je sais que j'exagère, mais j'aimerais convaincre cette personne. » Nous jouons tout le temps ce petit jeu. Aussi s'agit-il d'en venir vraiment aux faits : l'honnêteté et la pleine ouverture vis-à-vis de nous-mêmes. Le problème ne consiste pas à nous ouvrir aux autres. Plus nous nous ouvrons à nous-mêmes, complètement et pleinement, et plus cette ouverture rayonne sur les autres. Nous savons réellement lorsque nous nous abusons, mais nous essayons de jouer les sourds-muets face à notre propre auto-illusion.

10. *Vajradhara et sa compagne.*

Tantra

Après que le bodhisattva a pourfendu les concepts fixes avec l'épée de prajna, il arrive à la compréhension que « la forme est forme, le vide est vide ». A ce stade, il est capable de traiter les situations avec une clarté et une habileté prodigieuses. Au fur et à mesure qu'il continue de voyager le long du Sentier du Bodhisattva, prajna et compassion s'approfondissent, et il a l'expérience d'une conscience élargie de l'intelligence, de l'espace et de la paix. La paix en ce sens, est indestructible, fabuleusement puissante. On ne peut être vraiment paisible si l'on ne porte en soi la qualité invincible de la paix. Une paix faible ou temporaire peut toujours être troublée. Si nous nous efforçons naïvement d'être gentils et paisibles, il est possible que la rencontre d'une situation différente ou inattendue interfère avec notre conscience de la paix, parce que cette paix est dépourvue de force, de caractère. Aussi la paix doit-elle être stable, profondément enracinée, et solide. Elle doit avoir la qualité de la terre. Si nous avons du pouvoir dans un sens égotique, nous avons tendance à exercer ce pouvoir et à nous en servir comme outil pour miner les autres. Mais, en tant que bodhisattvas, nous ne nous servons pas du pouvoir pour miner les autres; nous restons simplement paisibles.

Finalement, nous atteignons la dixième et dernière étape du Sentier du Bodhisattva : la mort de shunyata et la naissance à la « luminosité ». Shunyata comme expérience tombe au loin, exposant la qualité lumineuse de la forme. Prajna se transforme en *jnana* ou « sagesse ». Mais la sagesse est encore expérimentée comme une découverte extérieure. Il faut l'ébranlement puissant du *samadhi semblable au vajra* pour amener le bodhisattva dans l'état d'*être* la sagesse au lieu de la *connaître*. C'est le moment de bodhi ou « éveil », l'entrée dans le Tantra. Dans l'état éveillé les qualités colorées, lumineuses, des énergies deviennent encore plus vives.

Si nous voyons une fleur rouge, nous ne la voyons pas seulement en l'absence de la complexité de l'ego, en l'absence de noms et de formes préconçus, nous en voyons aussi la brillance. Si le filtre de confusion qui nous sépare de la fleur est soudain arraché, l'air devient automatiquement très clair, et la vision très précise et vive.

Tandis que l'enseignement fondamental du bouddhisme Mahayana concerne le développement de prajna, la connaissance transcendantale, l'enseignement fondamental du Tantra est lié à un travail sur l'énergie. L'énergie est décrite dans le *Kriyayoga Tantra* de Vajramala comme « ce qui demeure dans le cœur de tous les êtres, la simplicité auto-existante, ce qui soutient la sagesse. Cette essence indestructible est l'énergie de la grande joie; elle s'étend partout, comme l'espace, c'est le corps-dharma du non-séjour. » Selon ce tantra, « cette énergie est le soutien de l'intelligence primordiale qui perçoit le monde phénoménal. Elle donne leur élan à la fois à l'état d'esprit illuminé et à l'état confus. Elle est indestructible en ce sens qu'elle se produit constamment. C'est la force qui anime l'émotion et la pensée dans l'état confus, et la compassion et la sagesse dans l'état illuminé. »

Pour travailler avec cette énergie, le yogi doit commencer par le processus du lâcher prise, puis œuvrer sur le principe de shunyata consistant à voir au-delà de la conceptualisation. Il doit pénétrer à travers la confusion, voir que « la forme est forme et le vide est vide », jusqu'à ce que finalement il pourfende le séjour dans l'expérience même de shunyata, et commence à voir la luminosité de la forme, l'aspect vif, précis et coloré des choses. A ce point, tout ce dont il a l'expérience dans la vie quotidienne à travers la perception des sens est une expérience nue, parce que directe. Il n'y a plus d'écran entre lui et « cela ». Si un yogi travaille avec l'énergie sans être passé par l'expérience de shunyata, ce peut être dangereux et destructeur. Par exemple, il se peut que la pratique de certains exercices de yoga physique qui stimulent l'énergie réveillent les énergies de la passion, de la haine, de l'orgueil, et d'autres émotions à un tel degré qu'il ne saurait comment les exprimer. Les écritures décrivent le yogi complètement intoxiqué par son énergie comme un éléphant ivre qui court aveuglément sans considérer où il va.

L'enseignement tantrique dépasse le parti pris de « regarder au-delà » que manifeste l'attitude transcendantale selon laquelle « la forme est forme ». Lorsque l'on parle de transcendance dans la tradition mahayana, il s'agit de la transcendance de l'ego. Dans la tradition tantrique, on ne parle pas du tout d'aller au-delà de l'ego : c'est une attitude trop dualiste. Le Tantra est beaucoup plus précis que cela. Il n'est pas question d'« aller *là* » ou d' « être *là* »; la tradition tantrique parle d'être *ici*. Elle parle de transmutation, et recourt abondamment à l'analogie avec la pratique alchimique. Par exemple, l'existence du plomb n'est pas rejetée, mais le plomb est transmuté en or. On n'a pas du tout à changer sa qualité métallique; il faut simplement le transmuter.

Tantra est synonyme de dharma, le sentier. La fonction de la pratique tantrique est de transmuter l'ego, de rendre l'intelligence primordiale capable de percer et de briller. Le mot *tantra* signifie « continuité ». C'est comme le fil qui tient ensemble des graines, ou des perles. Le fil est le sentier. Les graines sont la base opérante de la pratique tantrique : à savoir les Cinq Skandhas ou cinq constituants de l'ego aussi bien que le potentiel primordial du bouddha en soi, l'intelligence primordiale.

La sagesse tantrique introduit le nirvana dans le samsara. Cela peut paraître plutôt choquant. Avant d'atteindre le niveau du Tantra, on essaie d'abandonner le samsara et l'on s'efforce d'atteindre le nirvana. Mais vient un moment où l'on réalise la futilité de cet effort, alors on devient complètement un avec le nirvana. Pour capter réellement l'énergie du nirvana et devenir un avec elle, il faut s'associer avec le monde ordinaire. Aussi le terme « sagesse ordinaire », *thamal-gyi-shepa,* est-il abondamment utilisé dans la tradition tantrique. C'est la version complètement ordinaire de « la forme est forme, le vide est vide »; c'est ce qui est. On ne peut rejeter l'existence physique du monde sous le prétexte qu'elle est mauvaise et associée avec le samsara. On ne peut comprendre l'essence du nirvana qu'en scrutant l'essence du samsara. Aussi le sentier implique-t-il quelque chose de plus qu'un simple dépassement de la dualité, quelque chose de plus qu'une simple compréhension non dualiste. On est capable de voir la « non-dualisticité », pour ainsi dire, la qualité essentielle de la non-dualité. On voit au-delà de l'aspect négatif de shunyata, de la négation de la dualité. Dès lors, le terme « shunyata » n'est guère utilisé dans le Tantra. Dans la tradition tantrique on parle de tathata, « ce qui est », plutôt que de shunyata ou de « vide ». Le mot *ösel* (tibétain) ou *prabhasvara* (sanscrit) qui signifie « luminosité », est aussi utilisé beaucoup plus que shunyata. On trouve cette référence à la tradition tantrique dans la dernière mise en mouvement de la Roue du Dharma par le Bouddha : au lieu de dire « la forme est vide, le vide est forme », et ainsi de suite, il dit que la forme est lumineuse. La luminosité ou prabhasvara est liée à *mahasukha,* la « grande joie » ou « félicité », la pleine réalisation que le vide est vide. Il n'est pas vide simplement parce que la forme est aussi forme.

La qualité dynamique de l'énergie n'est pas suffisamment exprimée dans la doctrine de shunyata, parce que toute la découverte de shunyata prend son sens relativement à l'esprit samsarique. Shunyata offre une *alternative* au samsara, aussi l'enseignement de shunyata est-il destiné à la mentalité samsarique. Même si cet enseignement va au-delà de « la forme est vide et le vide est forme », pour dire que « le vide n'est autre que la forme », et « la forme n'est autre que le vide », il ne va pas jusqu'à dire que la forme a cette énergie et que le vide a cette énergie. Dans le *Vajrayana,* ou enseignement tantrique, le principe de l'énergie joue un rôle très important.

L'enseignement doit se relier à la vie quotidienne des êtres qui le pratiquent. Nous sommes confrontés aux pensées, aux émotions et aux énergies de nos relations avec les autres et avec le monde. Comment allons-nous relier notre compréhension de shunyata aux événements quotidiens, à moins de reconnaître l'aspect énergétique de la vie? Si nous ne pouvons danser avec les énergies de la vie, nous ne serons pas capables de nous servir de notre expérience de shunyata pour unir samsara et nirvana. Le Tantra enseigne à ne pas supprimer ni détruire l'énergie, mais à la transmuter; en d'autres termes, aller dans la structure dynamique de l'énergie. Lorsque nous trouvons l'équilibre allant de pair avec l'énergie, nous commençons à faire connaissance avec elle. Nous commençons à trouver le bon chemin et la direction juste. Cela ne signifie pas qu'il faille devenir un éléphant ivre, un yogi sauvage, dans l'acception péjorative du terme.

Un parfait exemple d'harmonisation avec l'énergie, de la qualité yogique positivement sauvage, fut la transmission de l'illumination de Tilopa à Naropa. Tilopa ôta sa sandale, et en frappa Naropa au visage. Il se servit de la situation du moment, l'énergie curieuse et chercheuse de Naropa pour la transmuter en l'état éveillé. Naropa avait une énergie et une intelligence considérables, mais son énergie n'était pas reliée à la compréhension de Tilopa, à son ouverture d'esprit, qui était une autre sorte d'énergie. Pour pénétrer cette barrière, il fallait un coup soudain, un choc qui ne fût point artificiel.

C'est comme une maison qui penche, et qui est sur le point de s'écrouler, mais qu'un tremblement de terre redresse soudainement, accidentellement. Les circonstances naturelles sont utilisées pour restaurer l'état originel d'ouverture. Lorsque l'on s'harmonise avec le processus énergétique, l'expérience devient très créatrice. L'énergie de la sagesse et de la compassion opère continuellement de façon précise et aiguë.

Comme le yogi devient plus sensible à la structure et aux qualités de l'énergie, il voit plus clairement le sens ou le symbolisme dans les expériences de la vie. La première moitié de la pratique tantrique, le Tantra inférieur, est nommée *Mahamudra,* ce qui signifie « Grand Symbole ». Symbole, en ce sens, n'est pas un « signe » représentant quelque principe philosophique ou religieux; c'est la manifestation des qualités vivantes de ce qui est. Par exemple, dans la perception directe d'une fleur, la perception de la vision nue, déshabillée et démasquée, la couleur de la fleur véhicule un message qui va bien au-delà de la simple perception de la couleur. Cette couleur est porteuse d'un sens qui est communiqué de façon puissante, presque submergeante. L'esprit conceptualisé n'est pas impliqué dans la perception, aussi sommes-nous capables de voir avec une grande précision, comme si un voile avait été retiré de devant nos yeux.

Ou bien, si nous tenons un morceau de roche entre nos mains avec cette clarté de perception qui est le contact direct de la pénétration nue, nous ne sentons pas seulement la solidité de cette roche, mais nous commençons aussi à en percevoir les implications spirituelles; nous en faisons l'expérience comme d'une expression absolue de la solidité et de la majesté de la terre. En fait, nous pourrions avoir le mont Everest entre les mains, pour ce qui est de la solidité fondamentale. Cette petite roche représente tous les aspects de l'élément solide. Je ne dis pas cela seulement dans le sens physique; mais je parle aussi de solidité dans un sens spirituel, la solidité de la paix et de l'énergie, de l'énergie indestructible. Le yogi ressent la solidité et l'endurance de la terre — quoi que l'on y plante ou ensevelisse, la terre ne réagit jamais négativement. Dans cette roche, il est conscient de la Sagesse Illuminée de l'Équanimité, comme de la qualité samsarique de l'orgueil de l'ego qui veut édifier une haute pyramide ou un monument à sa propre existence. Chacune des situations que nous rencontrons entretient cette vive relation avec notre état d'être. Il est intéressant de noter que, dans l'iconographie tantrique, nombre de figures symboliques sont représentées tenant une montagne dans une main, ce qui illustre exactement ce dont nous venons de parler : la paix solide, la compassion solide, la sagesse solide qui ne peuvent être influencées par la frivolité de l'ego.

Chacune des textures que nous percevons a automatiquement quelque implication spirituelle, et nous commençons à réaliser la formidable énergie contenue dans cette découverte et cette compréhension. Le méditant développe une vision pénétrante de plus en plus profonde à travers la communication directe avec la réalité du monde phénoménal. Il est non seulement capable de voir l'absence de complexité, l'absence de dualité, mais aussi la pierre comme *pierre* et l'eau comme *eau*. Il voit les choses précisément telles qu'elles sont, pas seulement dans le sens physique, mais en pleine conscience de leur signification spirituelle. Tout ce qu'il voit exprime la découverte spirituelle. Il a une vaste compréhension du symbolisme et de l'énergie. Quelle que soit la situation, il n'a plus à en forcer les résultats. La vie coule autour de lui. C'est le principe de base du *mandala*. Le mandala est généralement figuré comme un cercle en révolution autour d'un centre, ce qui signifie que tout autour de nous devient partie de notre conscience, l'ensemble de la sphère exprimant l'éclatante réalité de la vie. La seule façon d'expérimenter les choses vraiment, pleinement, et correctement passe par la pratique de la méditation, qui crée un lien direct avec la nature, la vie, et toutes les situations. Lorsque nous parlons d'être hautement développé spirituellement, cela ne signifie pas qu'il faille flotter dans les airs. En fait, plus nous nous élevons, plus nous redescendons sur terre.

Il est important de se souvenir que la pratique de la méditation commence avec la pénétration du modèle de pensée névrotique qui est la frange de l'ego. Au fur et à mesure que l'on avance, on voit non seulement à travers la complexité des processus mentaux, mais aussi à travers la lourde « signifiance » des concepts exprimés par les mots et les théories. Puis, enfin, on crée quelque espace entre *ceci* et *cela,* ce qui nous libère formidablement. Une fois l'espace créé, on aborde la pratique Vajrayana consistant à créer un lien direct avec l'expérience de la vie. Ces trois étapes sont, par essence, les Trois Yanas : le Hinayana, véhicule de la méthode; le Mahayana, véhicule de shunyata ou de l'espace; et le Vajrayana ou Tantra, véhicule de l'énergie directe.

Dans la tradition tantrique, l'énergie est classée en cinq qualités de base, ou *Familles de Bouddha : Vajra, Ratna, Padma, Karma* et *Bouddha.* Une émotion est associée à chaque Famille de Bouddha, qui est transmutée dans une « sagesse » particulière, ou un aspect de la condition éveillée de l'esprit. Des couleurs, des éléments, des paysages, des directions, des saisons, tous les aspects du monde phénoménal sont aussi associés aux Familles de Bouddha.

Vajra est associé à la colère, qui est transmutée en Sagesse Semblable au Miroir. Nous ressentons quelque chose au-delà des qualités nébuleuses, possessives et agressives de la colère, et cette pénétration intuitive nous rend capables de transmuter automatiquement l'essence de la colère en précision et en ouverture, plutôt que de la changer délibérément.

Vajra est aussi associé à l'élément eau. L'eau nébuleuse, turbulente, symbolise la nature défensive et agressive de la colère, tandis que l'eau claire suggère la réflection aiguë, précise et claire, de la Sagesse Semblable au Miroir.

Vajra est la couleur blanche. La colère est l'expérience

brute et directe de l'autodéfense, aussi est-elle comme une feuille de papier blanc, très plate et opaque. Mais elle a aussi le potentiel de la luminosité, de la brillance de la réflexion qu'est la Sagesse Semblable au Miroir.

Vajra est connecté avec l'est, l'aube, l'hiver. C'est une matinée d'hiver, d'une clarté cristalline, avec des glaçons aigus et scintillants. Le paysage n'est pas vide ou désolé, mais plein d'acuité qui incite à la pensée. Il y a beaucoup de choses pour intriguer l'observateur : par exemple, le sol, les arbres, les plantes ont tous leur propre façon d'être saisis par le gel. Différents arbres ont différentes façons de porter la neige et d'être en relation avec la température.

Vajra traite les objets en termes de textures et de relations réciproques. Chaque chose est analysée suivant ses propres termes. L'intelligence de Vajra ne laisse jamais aucune zone inexplorée ni aucun coin caché. Elle est comme l'eau coulant sur une surface plane, qu'elle recouvre complètement, tout en restant transparente.

Ratna est associé à l'orgueil et à la terre — solidité, montagnes, collines, pyramides, bâtiments. « Je suis complètement en sécurité. Je suis ce que je suis. » C'est une façon très orgueilleuse de se contempler. Cela signifie que l'on a peur de se relâcher, que l'on accumule continuellement les défenses, que l'on bâtit une forteresse. Également, Ratna est la Sagesse de l'Équanimité, qui pénètre tout. Que l'on fasse surgir des édifices de la terre ou qu'on la laisse simplement comme elle est, c'est la même chose. La terre reste ce qu'elle est. On ne se sent pas le moins du monde vaincu ou menacé. Alors que, si l'on est orgueilleux, on se sent constamment menacé par l'éventualité de l'échec et de la défaite. Dans l'esprit illuminé, l'angoisse de l'autoconservation est transmutée en équanimité. Il y a toujours conscience de la solidité et de la stabilité de la terre, mais plus de peur de les perdre. Tout est ouvert, sauf, et noble; il n'y a aucun sujet de peur.

Ratna est lié au sud et à l'automne, à la fertilité, la richesse, dans le sens de générosité continuelle. Lorsque le fruit est mûr, il tombe automatiquement sur le sol, il demande à être mangé. Ratna a cette sorte de qualité d'abandon. Il est succulent et ouvert, avec la qualité du milieu de la matinée. Il est jaune, connecté avec les rayons du soleil. Alors que Vajra est associé au cristal, Ratna est l'or, l'ambre, le safran. Il a un sens de profondeur, véritablement tellurique, tandis que Vajra est purement texture, une qualité croustillante, plutôt que profondeur fondamentale. Ratna est tellement mûr et terrestre, c'est comme un arbre gigantesque qui s'abat sur le sol, commence à pourrir, à faire pousser des champignons, et est enrichi par les herbes qui poussent autour de lui. C'est une souche, dans laquelle les animaux peuvent trouver demeure. Elle commence à jaunir, et à se dépouiller de son écorce, révélant un intérieur riche et vivant. Si l'on essayait de déplacer ce vieux tronc pour en décorer un jardin, il s'émietterait et partirait en morceaux. Et, de toute façon, il serait trop lourd pour être transporté.

Padma est lié à la passion, à une qualité avide, au désir de possession. Dans l'arrière-fond de la passion, il y a l'instinct qui porte l'union, la volonté d'être complètement un avec quelque chose. Mais la passion a une qualité hystérique, névrotique, qui ignore le véritable état d'union, et veut posséder pour *devenir* unie. La passion contrecarre automatiquement ses propres buts. Dans le cas de la Conscience Discriminante, qui est l'aspect de sagesse de la passion, on voit avec précision et acuité la qualité de « ceci » et « cela ». En d'autres termes, la communication prend place. Si nous voulons communiquer avec quelqu'un, il nous faut respecter l'existence de l'autre personne, aussi bien que le processus de communication. La Sagesse de la Conscience Discriminante reconnaît le fait de l'union, ce qui est très différent de séparer « cela » de « ceci » de façon dualiste en vue de se maintenir soi-même. La qualité consumante du feu brûlant, le désir, est transmutée en la sagesse de relier à travers la communication. Vous pouvez être complètement piégés par le désir de possession, dans un sens spirituel ou matériel. Vous pouvez vouloir plus que ce que vous avez. Vous pouvez être fascinés par les qualités exotiques de l'objet de votre désir au point d'être aveugles au monde qui vous entoure. Vous êtes complètement enveloppés dans le désir, ce qui produit automatiquement une sorte de stupidité et d'ignorance. Cette ignorance dans le désir est transcendée par la Sagesse de la Conscience Discriminante.

Padma est relié à l'ouest et à la couleur rouge. Le rouge se détache de toutes les autres couleurs, il est très provocant, il nous attire à lui. Il est aussi lié à l'élément feu. Dans la condition confuse, le feu n'opère aucune discrimination parmi les choses qu'il saisit, brûle et détruit. Dans la condition éveillée, la chaleur de la passion est transmutée en chaleur de la compassion.

Padma est en relation avec le début du printemps. La dureté de l'hiver est juste sur le point de s'adoucir avec la promesse de l'été. La glace commence à fondre, les plaques de neige deviennent détrempées. Padma est très lié à la façade; il n'est pas question de solidité ou de texture; il est purement concerné par les couleurs, les qualités séduisantes, le coucher du soleil. La qualité visuelle de la surface est plus importante que son être. Aussi Padma est-il plus impliqué par l'art que par la science ou la vie pratique.

Padma est un lieu raisonnable, où croissent les fleurs sauvages, un endroit parfait pour y laisser errer les animaux, comme un haut plateau. C'est un espace de prairies semées de beaux rochers, où les jeunes animaux aiment à jouer.

Karma est associé à l'émotion de la jalousie, de l'envie et à l'élément vent. Toutefois, les termes de « jalousie » et d' « envie » ne sont pas assez puissants et précis pour décrire la qualité de Karma. « Paranoïa absolue » est probablement une bonne expression. Nous sentons que nous n'allons atteindre aucun de nos buts. Nous sommes irrités par les réalisations d'autrui. Nous nous sentons laissés en arrière, et nous ne pouvons supporter de voir les autres nous dépasser. Cette peur, cette absence de confiance en soi, est reliée à l'élément vent. Le vent ne souffle jamais que dans une seule direction à la fois. C'est la vision à sens unique de la paranoïa, ou de l'envie.

Karma est connecté avec la Sagesse de l'Action Accomplissant Tout. La qualité de la paranoïa tombe au loin, mais les qualités d'énergie, de précision dans l'action et dans l'ouverture demeurent. En d'autres termes, l'aspect actif du vent est retenu, de telle sorte que notre activité entre en contact avec tout sur son chemin. Notre action est appropriée parce qu'elle n'implique plus aucune panique ou paranoïa conscientes de soi. Elle voit les possibilités inhérentes aux situations et, automatiquement, prend le cours approprié. Elle atteint son but.

Karma suggère l'été dans le Nord. L'efficacité de Karma le relie à cette saison, car c'est un été où toutes les choses sont actives, croissent, remplissent leur fonction. Des millions d'actions interconnectées prennent place : les choses vivantes se développent, plantes, insectes, animaux. Il y a des orages, du tonnerre et de la grêle. On a l'impression que l'on ne pourra jamais jouir de l'été parce que quelque chose bouge toujours pour se maintenir. C'est un peu comme la fin du printemps, mais en plus fertile, toutes choses sont accomplies au moment juste. La couleur de Karma est le vert des légumes et des herbes, de l'énergie de la croissance. Tandis que le Karma d'été est encore en concurrence, en train d'essayer de donner naissance, le Ratna d'automne est plein de confiance; tout a été accompli. L'heure de Karma est après le coucher du soleil, le crépuscule, la fin du jour et le début de la nuit.

Bouddha est associé au manque d'éclat et à une qualité omnipénétrante parce qu'il contient et accompagne toutes les autres émotions. Le facteur actif dans cette matité est l'action d'ignorer. L'ignorance ne veut pas voir. Elle se contente d'ignorer et de s'encombrer. On est complètement assoupi, complètement insouciant. On préfère maintenir sa stupeur que chercher à lutter en vue de quoi que ce soit, et une qualité paresseuse, stupide, imprègne toutes les autres émotions.

La sagesse connectée avec Bouddha est celle de l'Espace Englobant Tout. La qualité omnipénétrante de la stupidité demeure comme fondement, mais le vacillement du doute et de la paresse dans cette hébétude est transformé en sagesse. Cette sagesse contient une énergie et une intelligence formidables, qui pénètrent tous les autres éléments, couleurs et émotions, et activent les quatre autres Sagesses.

Bouddha est la fondation, ou « terrain de base ». C'est le milieu, ou l'oxygène, qui permet aux autres principes de fonctionner. Il a une qualité calme, solide. Ratna est aussi très solide et terrestre, mais il n'est pas aussi terrestre que Bouddha, qui est ternement terrestre, bêtement terrestre. Bouddha est un lieu désolé, trop spacieux. C'est un campement déserté dont il ne reste plus que les pierres du foyer. On sent que l'endroit a été habité pendant longtemps, mais, à présent, il n'y a plus personne. Les habitants n'ont été ni tués ni chassés, ils sont partis, c'est tout. L'ambiance est celle des grottes où vivaient les Indiens d'Amérique. On sent qu'il s'y est passé quelque chose, mais en même temps, il n'y a rien d'extraordinaire. La nuance est émoussée, comme une plaine, très plate. Bouddha est lié à la couleur bleue, à la qualité fraîche et vaste du ciel.

Q. Comment les images de Bouddhas, *yidams,* divinités courroucées et autres symboles s'ajustent-elles dans le sentier spirituel tibétain?

R. L'iconographie tibétaine est très mal comprise. Peut-être devrions-nous examiner rapidement la structure de l'iconographie et du symbolisme dans le Tantra. Il y a ce que l'on appelle « l'iconographie du guru », qui est reliée au processus du sentier, au fait que, avant de commencer à recevoir le moindre enseignement, on doit délibérément lâcher prise, s'ouvrir. Pour lâcher prise, il faut, en quelque façon, s'identifier complètement à la plénitude et à la richesse de la vie. A ce stade l'abandon ne consiste pas à faire le vide au sens de shunyata, ce qui est une expérience plus avancée. Mais, dans les premières étapes du sentier, lâcher prise signifie devenir un réceptacle vide. Cela veut aussi dire s'identifier avec la plénitude et la richesse de l'enseignement. Aussi, symboliquement, les maîtres de la lignée portent-ils des robes très ornementées, des coiffes et des sceptres, et tiennent-ils des objets précieux dans leurs mains.

Ensuite, il y a l'iconographie des *yidams* qui est liée à la pratique tantrique. Les yidams sont les différents aspects des cinq principes Bouddha d'énergie. Ils sont peints sous les espèces de *herukas* mâles ou *dakinis* femelles, et peuvent être courroucés ou paisibles. L'aspect irrité est associé à la transmutation par force, au saut dans la sagesse et la transmutation sans choix. C'est l'acte de pourfendre, associé à la folle sagesse. Les yidams paisibles sont associés à la transmutation par « processus »; c'est-à-dire que la confusion est pacifiée et s'use graduellement.

Les yidams portent les costumes des *rakshasas* qui, dans la mythologie indienne, sont des vampires en relation avec Rudra, roi des Maras, les mauvais. Le symbolisme impliqué est le suivant : lorsque l'ignorance, symbolisée par Rudra, a établi son empire, alors la sagesse apparaît, détruit l'empire, et garde les costumes de l'empereur et de sa suite. Les costumes des yidams symbolisent la transmutation de l'ego en sagesse. Les couronnes à cinq crânes qu'ils portent représentent les cinq émotions qui ont été transmutées en les Cinq Sagesses. Ces émotions ne sont pas jetées au loin, mais portées comme ornements. De plus, le trident ou *trishula* que tiennent les yidams est orné de trois têtes : une tête fraîche, une tête sèche réduite, et un crâne de squelette. La tête fraîche représente la chaude passion. La tête sèche représente la colère froide et la dureté, comme la viande dure. Le crâne de squelette représente la stupidité. Le trishula est un ornement qui symbolise la transcendance de ces trois impulsions. En outre, le trident a trois pointes, qui représentent les trois principes fondamentaux de l'être : shunyata, l'énergie, et la qualité de la manifestation. Ce sont les trois « corps » du Bouddha, les Trois Kayas : Dharmakaya, Sambhogakaya, et Nirmanakaya. Tous les ornements portés par les yidams — les parures en ossements, serpents et autres — sont associés à différents aspects du sentier. Par exemple, ils portent une guirlande de cinquante et un crânes qui représente la transcendance des cinquante et un types de modèles de pensée examinés dans la doctrine Hinayana de l'*Abhidharma*.

Dans la pratique tantrique, on s'identifie avec un yidam d'une Famille de Bouddha particulière, correspondant à sa propre nature. Par exemple, si un yidam est associé à la famille Ratna, il sera de couleur jaune, et aura les caractéristiques symboliques de Ratna. Les types de mandalas que vous donne le maître dépendent de la famille à laquelle vous appartenez, selon que vous appartenez à la famille passionnée, orgueilleuse, ou suivant que vous avez en vous la qualité de l'air, ou de l'eau. En général, on peut sentir que certaines personnes ont la qualité de la terre et sa solidité, d'autres celle de l'air, qui se précipite ici et là, et d'autres la qualité de la chaleur et une présence liée au feu. Les mandalas vous sont donnés afin que vous vous identifiiez avec vos émotions particulières, qui sont potentiellement transmutables en sagesse. Parfois, on pratique la visualisation de ces yidams. Toutefois, lorsque l'on commence à travailler avec eux, on ne les visualise pas immédiatement. On commence par prendre conscience de shunyata, puis on développe le sentiment de la présence de cette image ou forme. Puis on récite un mantra associé à ce sentiment particulier. En vue de miner la force de l'ego, il convient d'établir en quelque sorte un lien entre la présence imaginaire et l'observateur de soi, l'ego.

Le mantra est le lien. Après la pratique du mantra, on dissout l'image ou la forme dans une certaine couleur lumineuse appropriée au yidam spécifique. Et l'on achève la visualisation par une nouvelle prise de conscience de shunyata. Toute l'idée est que ces yidams ne doivent pas être regardés comme des dieux extérieurs qui vous sauveront, mais comme des expressions de votre vraie nature. Vous vous identifiez avec les attributs et les couleurs de yidams particuliers, et vous ressentez le son qui provient du mantra, de telle sorte que finalement vous commencez à réaliser que votre vraie nature est invincible. Vous devenez alors complètement un avec le yidam.

Dans *Maha Ati,* le plus haut tantra, le sentiment d'identification tombe au loin, et nous accédons à notre vraie nature. Seules subsistent les énergies et les couleurs. Auparavant, vous voyiez à travers les formes, les images et les sons, vous voyiez leur qualité vide. Maintenant vous percevez formes, images et sons sous leur jour véritable. C'est la notion du retour au samsara qu'exprime la tradition Zen dans l'histoire de la recherche du Bœuf : il n'y a ni homme ni bœuf et, à la fin, on revient au monde.

Il y a enfin l'iconographie des « divinités protectrices ». Dans la pratique de l'identification à un yidam particulier, on doit développer une conscience qui nous tire de notre nature confuse et nous renvoie dans notre vraie nature. On a besoin de chocs soudains, de rappels constants, d'une qualité d'éveil. Cette conscience éveillée est représentée par les divinités protectrices qui sont montrées sous une forme courroucée. C'est une soudaine secousse qui a valeur de rappel. Une conscience courroucée parce qu'elle implique un saut. Ce saut exige un certain type d'énergie pour couper à travers la confusion. Il vous faut véritablement prendre l'initiative de sauter sans hésitation depuis les limites de la confusion jusque dans l'ouverture. Il vous faut réellement détruire l'hésitation. Détruire tous les obstacles que vous rencontrez sur le sentier. Aussi cette divinité est-elle nommée protectrice. « Protection » ne veut pas dire ici assurer votre sécurité, il s'agit d'un pôle de référence, d'un guide qui sert de rappel, vous maintient à votre place, dans l'ouverture. Par exemple, il y a une divinité protectrice *Mahakala* nommée Mahakala aux Six Bras qui est de couleur noire et se tient sur *Ganesha,* le dieu à tête d'éléphant qui symbolise les pensées subconscientes. Ce bavardage subconscient est un aspect de la paresse qui vous distrait automatiquement de la conscience éveillée et vous incite à retourner à la fascination qu'exercent sur vous vos pensées et vos émotions. Il agit particulièrement sur la nature observatrice de vos pensées — intellectuelles, domestiques, émotionnelles, quelles qu'elles soient. Mahakala vous ramène à l'ouverture. L'intention symbolique est que Mahakala surmonte le bavardage subconscient en se tenant dessus. Mahakala représente le saut dans la conscience pénétrante.

Généralement, toute l'iconographie bouddhiste tantrique est incluse dans ces trois catégories : le maître *(guru),* les yidams et les divinités protectrices. L'iconographie du guru exprime la richesse de la lignée. Les yidams vous permettent de vous identifier à votre nature particulière. Quant aux divinités protectrices, elles ont valeur de rappel. Les yidams et les divinités protectrices sont généralement dépeints sous un jour plus ou moins courroucé, suivant l'intensité de l'éveil pour que vous voyiez votre vraie nature.

Les yidams courroucés sont toujours associés avec ce qui est connu en termes tantriques sous le nom de *colère du vajra,* la colère qui a la qualité de tathata; en d'autres termes, c'est la colère sans haine, une énergie dynamique. Cette énergie particulière, à quelque Sagesse qu'elle appartienne, est invincible. Elle est complètement indestructible, imperturbable, parce qu'elle n'est pas créée, mais découverte comme une qualité originelle. Elle n'est, dès lors, sujette ni à la naissance ni à la mort. Elle est toujours représentée sous un jour coléreux, courroucé et guerrier.

Q. Comment la transmutation prend-elle place?

R. La transmutation prend place avec la compréhension de shunyata et la soudaine découverte de l'énergie. Vous réalisez que nous n'avons plus rien à abandonner. Vous commencez à voir les qualités sous-jacentes de la sagesse dans votre situation vitale, ce qui signifie qu'il y a une sorte de saut. Si vous êtes hautement impliqués dans une émotion comme la colère, par le fait d'avoir un soudain éclair d'ouverture, ce qui est shunyata, vous commencez à voir que vous n'avez pas à supprimer votre énergie. Vous n'avez pas à rester calmes et à supprimer l'énergie de la colère, mais vous pouvez transformer votre agression en énergie dynamique. Cela dépend de votre ouverture, de votre volonté réelle de le faire. Si vous êtes moins fascinés et moins satisfaits par l'explosion et la décharge de votre énergie, alors la transmutation s'opérera plus vraisemblablement. Une fois que nous sommes impliqués par la fascination et la satisfaction de l'énergie, nous devenons incapables de la transmuter. Vous n'avez pas à vous changer complètement, mais vous pouvez utiliser une partie de votre énergie dans un état éveillé.

Q. Quelle est la différence entre jnana et prajna?

R. On peut considérer la sagesse comme une expérience extérieure. C'est la différence entre la sagesse et la connaissance, entre jnana et prajna. Prajna est la connaissance en termes de relativité, et jnana est la sagesse au-delà de toute espèce de relativité. Vous êtes complètement un avec la sagesse. Vous ne considérez pas qu'elle ressortit de l'éducation ou de l'expérience.

Q. Comment transmuter l'émotion? Comment l'aborder?

R. Eh bien, c'est une question très personnelle, plus qu'intellectuelle. Toute la question est que nous n'avons pas véritablement fait l'expérience de nos émotions, même si nous croyons l'avoir faite. Nous avons seulement eu l'expérience de nos émotions en termes de moi et ma colère, moi et mon désir. Ce « moi » est une sorte de structure de gouvernement central. Les émotions jouent le rôle de messagers, bureaucrates et soldats. Au lieu d'avoir l'expérience des émotions comme séparées de nous, comme d'employés plutôt irréguliers, pour ainsi dire, il nous faut en sentir véritablement la texture, et la réelle qualité vivante. Exprimer ou défouler notre haine ou notre désir au plan physique est une autre façon d'essayer d'échapper à nos émotions, exactement comme lorsque nous tentons de les refouler. Si nous sentons véritablement la qualité vivante, la texture des émotions telles qu'elles sont, dans leur nudité, cette expérience aussi contient la vérité ultime. Et, automatiquement, nous commençons à voir simultanément les aspects ironiques et profonds des émotions, telles qu'elles sont. Alors le processus de la transmutation, c'est-à-dire de la transmutation des émotions en sagesse, prend place automatiquement. Mais, comme je l'ai dit, c'est une question personnelle; il nous faut réellement le faire. Jusqu'à ce que nous le fassions pour de bon, aucun mot ne peut le décrire. Il nous faut être assez braves pour rencontrer véritablement nos émotions, œuvrer réellement avec elles, sentir la texture, la qualité réelle des émotions telles qu'elles sont. Nous découvrirons que l'émotion n'existe pas vraiment telle qu'elle apparaît, mais qu'elle contient beaucoup de sagesse et d'espace ouvert. Le problème est que nous ne faisons jamais correctement l'expérience des émotions. Nous croyons que le combat et le meurtre expriment la colère, mais c'est encore une façon de s'évader, de décharger l'émotion plutôt que d'en faire véritablement l'expérience telle qu'elle est. La nature fondamentale des émotions n'a pas été sentie correctement.

Q. Lorsque les émotions sont transmutées, cela ne signifie pas qu'elles disparaissent, n'est-ce pas?

R. Pas nécessairement, mais elles sont transmutées en d'autres formes d'énergie. Si nous essayons d'être bons ou paisibles, de supprimer ou subjuguer nos émotions, c'est là qu'opère la distorsion fondamentale de l'ego. Nous sommes agressifs envers nos émotions, nous essayons d'atteindre la paix ou la bonté par force. Une fois que nous cessons d'être agressifs envers nos émotions, d'essayer de les changer, une fois que nous en avons une expérience correcte, alors la transmutation peut prendre place. La qualité irritante des émotions est transmutée une fois que nous les expérimentons telles qu'elles sont. La transmutation ne signifie pas que la qualité énergétique des émotions est éliminée; en fait elle est transformée en sagesse, ce qui est grandement requis.

Q. Qu'en est-il du Tantra sexuel? S'agit-il de transmuter l'énergie sexuelle en quelque chose d'autre?

R. C'est la même chose. Lorsque la qualité de la passion et du désir consistant à vouloir se saisir de leurs objets est transformée en communication ouverte, en danse, alors la relation entre deux personnes commence à se développer de façon créatrice plutôt que de stagner ou de les irriter.

Q. Le principe de la transmutation s'applique-t-il aux énergies sattvique, rajasique et tamasique telles que les décrit la tradition hindoue? On ne cherche pas à prendre l'énergie tamasique et à la transformer en énergie rajasique, on la prend et on s'en sert.

R. Oui, c'est exact. C'est très concret, vraiment. En général, nous avons tendance à trop nous préparer. Nous disons : « Lorsque j'aurai gagné plein d'argent, j'irai quelque part étudier et méditer, et je deviendrai moine », ou quoi que ce soit que nous souhaitions devenir. Mais nous ne le faisons jamais sur-le-champ. Nous parlons toujours en termes de « lorsque j'aurai fait quelque chose, alors... ». Nous planifions toujours trop. Nous voulons changer nos vies plutôt que nous en servir, nous servir de l'instant présent, comme partie de la pratique, et cette hésitation de notre part crée une quantité de reculs dans notre pratique spirituelle. La plupart d'entre nous avons des idées romantiques — « Maintenant, je suis mauvais, mais, un jour, lorsque je changerai, je serai bon. »

Q. Le principe de la transmutation s'exprime-t-il dans l'art?

R. Oui, comme nous le savons tous, des combinaisons similaires de couleurs et de formes ont été créées par des gens différents, provenant de cultures différentes, à des moments différents. L'art spontané, expressif, a une qualité universelle. C'est bien pourquoi nous n'avons pas à aller *au-delà* de quoi que ce soit. Si nous voyons pleinement et directement, *cela* parle, *cela* apporte quelque compréhension. Le choix d'une lumière verte pour indiquer le passage, dans la circulation automobile, et d'une lumière rouge pour le stop, le danger, suggère l'existence d'une sorte d'universalité dans l'effet de la couleur.

Q. Et la danse et le théâtre?

R. C'est la même chose. Le problème est que, si l'on devient trop conscient de soi lorsqu'on crée une œuvre d'art, elle cesse d'être une œuvre d'art. Lorsque les maîtres en un art sont complètement absorbés dans leur travail, ils produisent des chefs-d'œuvre, non parce qu'ils sont conscients de l'enseignement de leurs professeurs, mais parce que leur travail les absorbe complètement. Ils ne se posent pas de question, ils font, c'est tout. Ils produisent la chose juste tout à fait accidentellement.

Q. Comment la peur ou la paranoïa qui entravent la spontanéité sont-elles transmutées en action?

R. Il n'y a pas de trucs pour surmonter ceci ou cela en vue d'atteindre un certain état d'âme. Il s'agit de sauter. Si une personne comprend vraiment qu'elle est dans un état de paranoïa, cela implique une profonde compréhension subconsciente sous-jacente de l'autre côté, quelque perception de l'autre aspect dans son esprit. C'est alors qu'il lui faut réellement sauter. Il est très difficile d'expliquer avec des mots comment il convient de sauter; il faut le faire, c'est tout. C'est un peu comme d'être brusquement poussé à l'eau dans une rivière et de découvrir que l'on sait nager; on traverse la rivière à la nage. Toutefois, s'il nous arrive de retourner dans la rivière et d'essayer de pratiquer, nous ne serons probablement pas du tout capables de nager. Il s'agit d'être spontané, d'utiliser l'intelligence courante. On n'enseigne pas à sauter avec des mots : c'est au-delà des mots. Mais c'est quelque chose que vous serez capables de faire si vous êtes réellement disposés à le faire, si vous vous placez dans la situation du saut et, de quelque façon, lâchez prise.

Q. Si l'on est effrayé, et que l'on réagit vivement à la peur, on est conscient de la réaction, mais on ne veut pas s'y perdre, on veut rester conscient. Comment faire?

R. Il s'agit d'abord de reconnaître l'énergie qui est là et qui est l'énergie du saut, aussi bien. En d'autres termes, au lieu de partir en courant devant la peur, il faut y être complètement impliqué, et commencer à sentir la qualité brute et fruste de l'émotion.

Q. Devenir un guerrier?

R. Oui. Au début on se satisfera peut-être de voir l'absurdité de l'émotion, ce qui la dispersera. Mais ce n'est pas encore assez pour qu'opère le principe de transmutation du Vajrayana. Il faut voir la qualité « forme est forme » des émotions. Une fois que vous êtes capables de considérer correctement les émotions, du point de vue de « la forme est forme, l'émotion est émotion », sans y attacher vos idées préconçues, une fois que vous voyez la qualité nue des émotions telles qu'elles sont, alors vous êtes prêts à sauter. Cela ne demande pas beaucoup d'effort. Vous êtes déjà livré au saut, pour ainsi dire. Cela ne veut bien sûr pas dire que, si vous êtes en colère, vous sortez et assassinez quelqu'un.

Q. En d'autres termes, voir l'émotion telle qu'elle est au lieu de s'engager dans une réaction dispersée et pénétrante face à la situation?

R. Oui. Voyez-vous, nous ne percevons pas l'émotion de façon vraiment correcte, bien qu'elle nous emplisse complètement. Si nous suivons nos émotions et que nous y échappons en faisant quelque chose, nous n'en n'avons pas une expérience juste. Nous essayons de les réprimer ou d'y échapper, parce que nous ne pouvons supporter d'être dans un tel état. Mais le Vajrayana parle de regarder correctement, directement l'émotion et de la sentir, d'en sentir la qualité nue. Nous n'avons pas véritablement à transmuter. En fait, nous voyons la qualité déjà transmutée dans les émotions : « La forme est forme. » C'est très subtil, et fort dangereux à lancer sans précaution.

Q. Comment la vie de Milarepa s'ajuste-t-elle au modèle du Tantra? Il semble pratiquer plutôt la renonciation que la transmutation.

R. Bien sûr, par son mode de vie, Milarepa est un exemple classique de la tradition des yogis renonçants. Mais, d'habitude, nous pensons à un renonçant comme à quelqu'un qui essaie d'échapper au « mal » de la vie « mondaine ». Ce n'est pas du tout le cas de Milarepa. Il n'essayait pas de supprimer ses « mauvaises » inclinations en méditant dans la solitude sauvage. Il ne s'enfermait pas dans une retraite. Il n'essayait pas de se punir. Son ascétisme était simplement une expression de son caractère, de la même façon que nos modes de vie expriment ce que nous sommes, déterminés par nos psychologies et nos histoires passées. Milarepa voulait être simple, et il menait une vie très simple.

Il n'est pas douteux qu'il existe chez les gens qui suivent un sentier religieux, une tendance à se retirer dans un autre monde pendant un temps, et Milarepa ne faisait pas exception. Mais, cela, on peut le faire au milieu d'une ville. Les gens fortunés peuvent dépenser beaucoup d'argent dans un « pèlerinage » religieux. Mais tôt ou tard, si l'on doit se brancher réellement sur les enseignements, il faut un retour au monde. Alors que Milarepa méditait dans sa retraite, vivant de façon très austère, des chasseurs survinrent par hasard et lui donnèrent du gibier frais. Il le mangea, et sa méditation s'en trouva immédiatement améliorée. Et, plus tard, alors qu'il hésitait à redescendre dans les villes, des villageois vinrent le voir dans sa grotte, lui demandant de les enseigner. Il était continuellement tiré de son isolement par le jeu apparemment accidentel des situations de la vie, ce qui, pourrait-on dire, est le rôle du maître, l'universalité du maître, qui se présente toujours naturellement à nous. Il se peut que nous soyons assis en posture de méditation dans notre appartement, que nous planions et que nous nous sentions très euphoriques, très « spirituels ». Mais lorsque nous sortons, que nous marchons dans la rue et que quelqu'un nous écrase le pied, il nous faut bien affronter cela. Cela nous fait atterrir, nous ramène au monde.

Milarepa était formidablement impliqué dans le processus de transmutation des énergies et des émotions. En fait, lorsque nous lisons *les Cent Mille Chants de Milarepa,* toute la première partie du livre traite de l'expérience que fit Milarepa de ce processus. Dans « le Conte de la Vallée du Joyau Rocher Rouge », Milarepa avait quitté Marpa depuis peu et s'en était allé méditer seul. On pourrait à ce sujet parler de son « époque adolescente », parce qu'il était encore engagé dans la dépendance à l'égard d'un maître personnel. Marpa était encore son « papa ». S'étant ouvert et abandonné à Marpa, Milarepa avait encore à apprendre à transmuter les émotions. Il s'accrochait encore aux notions de « bons » et de « mauvais », aussi le monde lui apparaissait-il encore sous forme de dieux et de démons.

Dans « le Conte de la Vallée du Joyau Rocher Rouge », lorsque Milarepa rentra dans sa grotte après avoir eu une vision réconfortante de Marpa, il fut confronté à une bande de démons. Il essaya par tous les moyens de s'en débarrasser. Il les menaça, les cajola, leur prêcha même le Dharma. Mais ils ne disparurent pas avant qu'il ne cessât de les considérer comme « mauvais », qu'il s'ouvrît à eux, et les vît tels qu'ils étaient. Ce fut le début de la période durant laquelle Milarepa apprit à subjuguer les démons, ce qui est même chose que transmuter les émotions. C'est avec nos émotions que nous créons les démons et les dieux : les choses que nous ne voulons ni dans notre vie, ni dans le monde sont les démons; celles que nous voulons attirer à nous sont les dieux et les déesses. Le reste est du décor.

En acceptant les démons, les dieux et les déesses tels qu'ils étaient, Milarepa les transmuta. Ils devinrent les *dakinis* ou les énergies de la vie. Toute la première partie des *Cent Mille Chants* traite de la maîtrise de la transmutation par Milarepa, de sa capacité croissante de s'ouvrir au monde tel qu'il est, jusqu'à ce qu'il conquière finalement tous les démons dans le chapitre « l'Attaque de la déesse Tserinma ». Dans ce chapitre, des milliers de démons s'assemblent pour terrifier et attaquer Milarepa pendant qu'il médite, mais il leur prêche, il est ouvert et accueillant, il est prêt à leur offrir tout son être, et ils sont subjugués. A un certain moment cinq démones, commençant à réaliser qu'elles ne peuvent effrayer Milarepa, lui chantent :

Si la pensée des démons
Ne surgit jamais en ton esprit,
Tu n'as pas à craindre les foules démoniaques autour de toi.
Il est extrêmement important de dompter ton esprit intérieur...
Sur le sentier abrupt de la peur et de l'espoir
Ils se tiennent en embuscade...

Et, plus loin, Milarepa lui-même dit : « En ce qui concerne l'Ultime, ou la vraie nature de l'être, il n'y a ni Bouddhas, ni démons. Celui qui se libère de la peur et de l'espoir, du mal et de la vertu, réalisera la nature insubstantielle et sans fondement de la confusion. Le Samsara lui apparaîtra comme le Mahamudra lui-même... »

Le reste des *Cent Mille Chants* traite du développement de Milarepa comme maître et de ses relations avec ses disciples. Vers la fin de sa vie, il avait complètement achevé le processus de transmutation, au point qu'il pouvait être appelé *Vidyadhara* ou « Tenant de la Folle Sagesse ». Il ne pouvait plus être ballotté par les vents de l'espoir et de la peur. Les dieux, les déesses et les démons, ses passions et leurs projections extérieures, avaient été complètement subjugués et transformés. Maintenant, sa vie était une danse continuelle avec les dakinis.

Finalement, Milarepa atteignit le stade du « vieux chien », sa plus haute réalisation. Les gens pouvaient lui marcher dessus comme sur un chemin ou sur la terre, il était toujours là. Il transcendait sa propre existence individuelle, de telle sorte que, lorsqu'on lit ses derniers enseignements, il y a un sentiment de l'universalité de Milarepa, exemple de l'illumination.

Index

Illustrations

Table

COMPOSITION : IMPRIMERIE FLOCH À MAYENNE
IMPRESSION : IMPRIMERIE HÉRISSEY À ÉVREUX (12-91)
D.L. 2ᵉ TRIM. 1976. Nᵒ 4395-6 (56643)

COMPOSITION : IMPRIMERIE FLOCH À MAYENNE
IMPRESSION : IMPRIMERIE HÉRISSEY À ÉVREUX (12-91)
D.L. 2e TRIM. 1976. N° 4395-6 (56643)